GW00645374

Il contesto

123

Bernardo Zannoni

I miei stupidi intenti

Sellerio editore

e-mail: info@sellerio.it
www.sellerio.it

2022 Ottava edizione

Questo volume è stato stampato su carta Palatina prodotta dalle Cartiere di Fabriano con materie prime provenienti da gestione forestale sostenibile.

Zannoni, Bernardo

I miei stupidi intenti / Bernardo Zannoni. – Palermo : Sellerio, 2021.
(Il contesto; 123)
EAN 978-88-389-4230-3
853.92 CDD-23

CIP – *Biblioteca centrale della Regione siciliana «Alberto Bombace»*

I miei stupidi intenti

a L.

Ci rivedremo presto;
ci siamo già incontrati.

I
L'inverno, nostra madre

Mio padre morì perché era un ladro. Rubò per tre volte nei campi di Zò, e alla quarta l'uomo lo prese. Gli sparò nella pancia, gli strappò la gallina di bocca e poi lo legò a un palo del recinto come avvertimento. Lasciava la sua compagna con sei cuccioli sulla testa, in pieno inverno, con la neve.

Nella notte burrascosa, tutti assieme nel grande letto, guardavamo nostra madre disperarsi in cucina, alla penombra di una lampada e del soffitto basso della tana.

«Maledetto, Davis, maledetto!», piangeva. «Ora cosa faccio? Stupida faina!».

Noi la guardavamo senza fare rumore, vicini per il freddo. Alla mia destra c'era mio fratello Leroy, dall'altra parte invece Giosuè, che non ho mai conosciuto. Doveva essere morto poco dopo il parto, forse schiacciato dal peso di nostra madre, quando si era stesa per riposare.

«Disgraziato, disgraziato!», piangeva lei. «E adesso chi li cresce questi figli di nessuno?».

Quei primi giorni la vita era una bella sensazione. Respirando piano piano sotto le coperte, scivolavi nel sonno più vivace. Eri fragile e forte allo stesso tempo, nascosto dal mondo, in attesa di uscire.

«Chi li cresce? Chi li cresce?», diceva nostra madre. Poi si avvicinava al letto e si stendeva, lasciandoci la pancia. Appena la sentivo, mi ci attaccavo con tutte le forze. Gli altri miei fratelli cominciavano subito una piccola zuffa. Leroy era il più grande e si avventava di prepotenza, le femmine, Cara e Louise, facevano squadra. Otis, il più piccolo, veniva spesso lasciato fuori.

«Chi li cresce? Chi li cresce?», diceva nostra madre. Ogni tanto la sentivo sussultare dal dolore, se qualcuno di noi la mordeva troppo. Giosuè spuntava da sotto la sua pelliccia, immobile.

La notte ci lasciava per cercare da mangiare, di giorno dormiva qualche ora. Certe volte, se trovava qualcosa di prezioso, usciva con il sole alto a barattare cibo con Solomon l'usuraio. Era magra, e la pancia le cadeva a terra. Trascinarla sulla neve doveva darle molto freddo.

«Zitti, bambini», ci diceva se la svegliavamo. Lo diceva anche se era sveglia.

«Zitti, zitti».

Noi cominciavamo a parlare. E a muoverci. Una mattina Leroy cascò dal letto e ci girò intorno, poi non fu più capace a risalire. Sarebbe morto di freddo se nostra madre non fosse ritornata. Prima di rimetterlo su, ricordo che esitò qualche attimo, un fatto incomprensibile per me. Se ci fosse stato qualcun altro di noi al suo posto, forse l'avrebbe lasciato dov'era. Leroy era il più grande e il più forte.

Nevicava molto spesso, anche per giorni. Una volta l'entrata della tana rimase bloccata, e la mamma stette ore a cercare di scavare una via di uscita.

«Zitti, zitti!», urlava a chi si lamentava per la fame.

Ogni tanto la scorgevo sedersi in cucina a fissare il vuoto. Si lisciava i baffi e sospirava, senza dire niente, come se stesse parlando con qualcuno. Quando faceva così rimanevo a guardarla. Sentivo che non stava bene, qualcosa precipitava, e faceva paura. Gli occhi mi si chiudevano senza che me ne accorgessi, e quando li riaprivo, lei non c'era più.

«Non vi ammalate, non posso pagare il dottore», ci disse una volta, quando cominciammo a girare per la tana. L'avviso non sfuggì a nessuno, e difatti non ci avventurammo mai fuori, nemmeno ci avvicinavamo alla finestra. Otis era l'unico a non essere mai sceso dal letto, e le femmine lo prendevano in giro.

«Sei piccolo, Otis. Ti spezzeresti l'osso del collo», gli dicevano.

Leroy toccava tutto quello che c'era in giro, e io lo seguivo. Non parlavamo granché; lui afferrava una cosa, la guardava, poi la rimetteva a posto, e allora io facevo altrettanto. Studiavo cos'avevo fra le zampe in tutta fretta, perché mio fratello veniva attratto subito da qualcos'altro, e non volevo rimanere indietro.

Nostra madre ci scansava, se stava andando da qualche parte. Per lei non eravamo nella stanza. Quando ci allattava saltavamo tutti sul letto, dove

Otis, per sua fortuna, aveva già avuto qualche attimo per succhiare qualcosa.

«Mi stai facendo male», mormorava seccata se qualcuno aveva troppa foga. Solitamente bastava quello per ammansirci, altre volte ci dava una zampata, senza unghie, poi imprecava.

Avevamo quasi sempre fame, dopo di quella veniva il freddo. Certi giorni non scendevamo proprio dal letto, e lottavamo con i crampi allo stomaco sotto le coperte, stretti l'uno all'altro. Una volta Leroy mi svegliò:

«Hai freddo?».

«Ho fame», risposi.

«Anch'io. Potremmo mangiarci Otis. È piccolo, e debole».

Non pensai mai che fosse uno scherzo. Tastai con la lingua i dentini che andavano crescendomi in bocca. Non dissi nulla.

«Allora?».

«Forse ho più freddo che fame».

Nostra madre entrò nella tana prima che potesse rispondermi. In qualche modo, pensai che con la mia vigliaccheria potessi averlo offeso, e per un po', anche dopo mangiato, non riuscii a prendere sonno. Da lì cominciai a capire che fra me e Leroy c'era una leggera, orribile differenza: era più animale di me. Pensare che anche lui se ne fosse reso conto mi angosciò parecchio. Tuttavia nessuno di noi due mangiò Otis. Né Leroy mangiò me.

Una notte nostra madre tornò con un oggetto assai particolare. Lo poggiò sul tavolo e ci ammonì.

«Non toccatelo. Questo ci farà mangiare per un po'».

Aspettammo che andasse a dormire, per guardare che cos'era.

«È una gioia da signora», aveva detto Cara. «Un piccolo tesoro dell'uomo».

Era un ninnolo tondeggiante che brillava alla luce, bello, di colore verde. Sul tavolo sembrava che parlasse a ciascuno di noi, in segreto. Leroy si spinse e lo toccò con una zampa.

«È freddo», disse. «Come l'aria di fuori».

Anche io avrei voluto sentirlo. Ma nostra madre era stata chiara, e avevo paura si svegliasse. Disubbidire a quel modo accendeva in me terribili fantasie, soprattutto perché finora non ne avevo mai visto le conseguenze. Louise era saltata sul tavolo e lo aveva preso, contemplandolo con innocenza, facendolo poi scivolare su una zampa, come un bracciale.

«Non si fa, Louise! No, non vuole!», aveva sussurrato Cara.

«Sono la più bella», disse l'altra, senza risponderle.

«Non è vero!».

Anche Cara saltò sul tavolo, si avventò su Louise.

«La mamma non vuole!».

Cercava di sfilarle il ninnolo dalla zampa, e l'altra si dimenava, la mordeva.

«Smettila! Lasciami!».

Io e Leroy fummo abbastanza rapidi ad accorgercene. In qualche attimo, scivolammo via dal tavolo, all'angolo opposto della stanza.

«Non è tuo!».

«Lasciami!».

Lo fecero cadere. Si ruppe in quattro pezzi, con uno schianto secco. Dal fondo del letto, ad assistere a quell'attimo, nostra madre. Le due sorelle rimasero dov'erano, mentre lei si alzava e andava a vedere cosa era rimasto. Prese i cocci e li guardò.

«Mamma...», mormorò Cara.

Fu rapida e precisa. Con una zampata colpì il muso di nostra sorella, facendola cascare dal tavolo. Louise sobbalzò e si mise a tremare, senza dire nulla. Il cuore mi batteva forte. Leroy si ritrovò addosso alla pelliccia qualcosa di molle, lo raccolse per capire cosa fosse.

Mentre Cara iniziava a piangere, guardavamo quello strano grumo bianco e rosso, capendo poi che si trattava di un pezzo di occhio. Nostra sorella si teneva la testa con una zampa, reprimendo il dolore, con il sangue ad imbrattarle la faccia. Leroy lasciò cadere l'occhio a terra. Per un attimo avrei detto che se lo sarebbe mangiato.

Nostra madre buttò i cocci sul tavolo, accanto a Louise, che adesso si era chiusa il più possibile in se stessa, per proteggersi.

«Schifosi», disse, senza guardare nessuno di noi, poi uscì nella notte gelata.

La sentii tornare il mattino dopo. Si era messa in cucina, a guardare il vuoto. Alla luce sembrava ancora più magra. Lasciai il letto in silenzio, gli altri dormivano.

«Mamma?».

Lei si girò. Piano, forse mi aveva già sentito. Sembrava stesse guardando al di là di me.

«Stai male per papà?», domandai.

Non rispose. Non rispose mai.

II
Il corvo, il nido

Uscimmo dalla tana a fine primavera. Il vento era fresco e ancora pungente, da farti arruffare il pelo. Ricordo l'attimo in cui misi il naso fuori, l'esplosione di essenze e profumi che fecero impazzire i miei sensi. Abitavamo sotto una roccia a ridosso di due alberi. Al mattino c'era ombra, al tramonto veniva carezzata dal sole che andava via. Nostra madre ci diede giusto quattro indicazioni.

«A destra e alle vostre spalle c'è il bosco. A sinistra i Tre Torrenti. Davanti i Campi di Zò. Non mettevi nei guai».

Non ci lasciava andare con lei. Si accorgeva subito se qualcuno la stava seguendo, e ti cacciava via. Leroy se la prese molto per questa cosa. Cominciò a starsene per conto suo, a fare uscite in solitaria.

Dal momento che Otis non riusciva a stare fuori troppo a lungo, e che Cara, rimasta cieca da un occhio, aveva perduto del tutto la sua giocosità, passavo molto tempo con Louise. Ci inseguivamo.

«Non mi prendi, Archy».

Lei scappava sempre. Si intrufolava dentro ai cespugli e rimaneva nascosta. Se la catturavo, facevamo la lotta, ci davamo i morsi che pizzicano.

Giravamo assieme intorno alla tana, senza allontanarci troppo. Non avevamo vicini a parte una famiglia di ricci molto più ad est. Li intravvedemmo solo una volta, mentre rientravano nella tana. Abitavano il tronco di un albero morto.

«Sono bella, Archy?».

Louise me lo chiedeva sempre. Soprattutto quando non stavamo facendo nulla, e si rimaneva in silenzio. Le dicevo di sì.

«Quanto bella?».

«Molto bella».

«Più bella di Cara?».

«Sì».

«Anche della mamma?».

«Sì».

Si lisciava il pelo, poi guardava sempre da un'altra parte, lontano. Alla lunga, cominciai a crederci anch'io. Forse era per via dello sbocciare dei miei istinti, o ancora, perché continuando a rispondere di sì finivo per dire anche a me stesso che era bella. Sta di fatto che poco a poco, da sorella, Louise divenne irresistibile mistero.

«Sono bella, Archy?».

«Bellissima».

«Grazie».

Quanto desideravo che quello sguardo lontano, dopo essersi lisciata il pelo, finisse su di me. Rincorrendoci la scovavo sentendone l'odore, e durante le nostre lotte mi accoccolavo su di lei, rispondendo ai suoi morsi.

A letto, appoggiato alla schiena ruvida di Leroy, mi domandavo cosa significasse quel mutamento.

Riflettevo sul perché fosse così impetuoso quand'ero con lei, e blando, distante, prima di dormire.

La primavera fece stare tutti meglio. Nostra madre portava da mangiare spesso, così la fame non ci tormentò più. C'erano volte in cui arrivava con dei piccoli topi, altre invece con delle bacche o della frutta. Non sembrava più così magra, le era tornato un buon pelo.

«Zitti», diceva sempre, se la disturbavamo.

Con il passare dei giorni eravamo cresciuti parecchio; i lineamenti dei musi si erano marcati, qualcuno cominciava a perdere i primi denti da latte, i nostri mantelli prendevano colore. Se da una parte il nostro sviluppo stupiva la maggior parte di noi, a qualcun altro invece mostrava un'altra faccia. Nostro fratello Otis era rimasto rachitico, con le zampe che non lo reggevano. Riusciva a stento a risalire sul letto, non poteva allontanarsi da solo. Nessuno gli prestava attenzione, esisteva per non esserci, all'ombra delle nostre vite. Quando si mangiava guardavamo tutti il suo piatto.

«Morirò perché non cresco», disse una sera, durante il pasto.

Ci eravamo fermati per un attimo, anche nostra madre.

«Chi te l'ha detto?», fece lei.

«Nessuno. Lo so. Non mi hai cresciuto, mamma».

Due lacrime gli scesero dal muso scarno.

«È vero», disse lei. Poi riprese, e noi pure. Nessuno però gli tolse il piatto.

Un giorno Leroy tornò con un corvo. L'aveva cacciato vicino ai torrenti, come da settimane tentava di fare. Il corvo era bello e senza un'ala, le piume strappate dai morsi, con il becco aperto. Nostro fratello ci sorpassò senza dire niente ed entrò. Si sedette al tavolo, poggiando la preda. Aveva ancora il fiato tirato e i muscoli tesi, la bocca insanguinata, l'occhio attento del cacciatore. Si era messo ad aspettare, senza rispondere alle nostre domande, senza lasciarci avvicinare all'uccello.

Forse perché non avevamo niente da fare, forse per l'eccezionalità dell'evento, ci mettemmo ad aspettare anche noi, a debita distanza.

Ricordo quella scena come qualcosa di bello. Tutti sparpagliati per la tana a guardare Leroy e il corvo, immobili come lui, che guardava avanti a sé.

Nostra madre tornò dopo il tramonto, con qualche bacca da mangiare. Quando lo vide, appena entrata, si bloccò di colpo. Si fissarono senza dire nulla.

«Che cos'è?», fece lei.

«La cena».

Nostra madre lasciò le bacche sul tavolo.

«La tua cena, vorrai dire».

Poi prese il corvo, gli staccò la testa, e si mise a cucinare.

Vedere Leroy mangiare quel pezzo di carne mi scuoteva dentro. La mia era una sensazione diversa dall'invidia degli altri. Cercavo di capire cosa rendesse mio fratello forte, più forte di me. Mi sentivo stupido. A letto la sua schiena sembrava una montagna, e sognai di essere braccato per tutto il tempo.

Nostra madre cominciò a portare con sé Leroy. Si alzavano presto, e li guardavo uscire in silenzio dopo una piccola colazione. Non parlavano; mangiavano un boccone e bevevano acqua senza dire niente. Tornavano con più cibo, quindi si cominciò a mangiare più spesso. Capitava che comprassero cose da Solomon l'usuraio, se la caccia li portava a trovare cose preziose. Solomon segnava tutto quello che vendeva con una piccola macchia di colore, o almeno così sapevo.

Vedere Leroy farsi adulto mi angosciava. Presto cominciai a cercare anch'io la mia solitudine per farmi valere. Louise non capiva.

«Dove vai, Archy?».

«Ai Tre Torrenti».

«Perché?».

Scivolavo via senza altre spiegazioni. Non tentava di seguirmi se non le rispondevo. Ignorarla mi faceva male, ma la mia angoscia superava il desiderio di stare con lei.

Le prime volte ai Tre Torrenti mi nascosi in un cespuglio e mi misi ad attendere. Sugli alberi in alto passò qualche uccello, vicino all'acqua una nutria, una volta un tasso.

Di giorno in giorno aspettavo sempre di più, anche quando la notte era ormai fitta. Mia madre non mi disse mai nulla quando tornavo tardi: avrei tanto voluto avere con me qualcosa.

Cara, con il suo solo occhio, stava sempre alla finestra. Rientrando scorgevo la sua sagoma aspra volta alla notte, persa in pensieri infelici.

Trovai un nido di pettirosso, sopra una quercia morente, dove il sole batteva poco. Quando lo vidi, sembrava abbandonato. Il giorno dopo osservai una mamma volargli vicino, poi entrare una volta sicura non ci fosse nessuno. Dopo di lei venne il padre, poi se ne andarono entrambi, ognuno per sé. Tornarono altre volte, e ancora volarono via.

Feci un sonno agitato, mi intrappolavo in una rete. Mi svegliai con la sensazione di non essermi mai sopito, e uscii dalla tana senza fare rumore, poco dopo nostra madre e Leroy. Il cielo bagnava il bosco con una pioggia fine, spostata dall'aria. Non faceva rumore sulle foglie, ma bagnò il mio pelo in brevissimo tempo. Avanzavo veloce fra gli alberi senza guardarmi attorno, con il cuore che spingeva verso la quercia, ansioso e imprudente, cercando la punta dei suoi rami.

Il nido era lì, nella penombra. I due uccelli stavano curvi l'uno accanto all'altro, per fare tetto dall'acqua, sembrava dormissero. Mi nascosi sotto di loro e iniziai ad aspettare. Dopo un po' di tempo sentii che parlavano. La pioggia era così leggera da smascherare i loro sussurri, così capii che stavano discutendo. La femmina si sentiva più dell'altro, sembrava preoccupata, e allora lo cercava. Pensai si fosse accorta di me, e un brivido gelato mi attraversò lo stomaco. Mi irrigidii e smisi di respirare, cercando di capire se era vero, se già mi ero fatto scoprire. Alla fine lui sbatté le ali e si spostò di poco, tornando su di lei, senza più parlare. Ora mi sembrava dormissero di nuovo.

Aspettai ancora del tempo. Scacciai un ragno che voleva salirmi in testa, il più silenziosamente possibile, tornando a puntare gli occhi verso l'alto. Non pensavo a niente; tutto me stesso era sull'immagine che avevo davanti, il bozzolo scuro sopra i rami secchi, i due uccelli uniti assieme. Ero parte immobile del mondo che mi circondava, più simile a un albero che a un animale, perfettamente incastrato al suo posto, in attesa.

Smise di piovere. Gli uccelli fremettero scuotendo le piccole teste. Lei riprese a parlargli, lui sbatacchiò le ali per asciugarle dall'acqua. Si toccarono amorevolmente, pizzicandosi con il becco, poi lui volò via.

Lei scosse le piume, saltò al bordo del nido, e girò attorno all'albero una, due, tre volte. Trattenni il fiato, passò veloce sopra la mia testa. Dopo il terzo giro anche lei andò lontano.

Scattai immediatamente e fui ai piedi della quercia, con un balzo mi ancorai al legno e spinsi verso l'alto aggrappandomi con le unghie. Il suolo si allontanava ad ogni salto verticale, la corteccia mi rimaneva attaccata alle zampe, procedevo rapido con i peli tutti ritti. Arrivato alla cima del tronco corsi lungo un ramo curvo, poi ancora in alto, su un braccio contorto e scarno. Non sentivo fatica, né il mio respiro basso e regolare, tantomeno il dolore delle unghie tirate sul legno; ero solo quello che vedevo e ciò che stavo facendo, l'animale nel suo spirito, nell'istinto più radicato.

Crack.

Mi fermai. La metà del ramo su cui ero dondolava, e io con essa. Cullato dolcemente, con un'orribile sensazione addosso, cercai il nido con lo sguardo.

Era vicino, fatto di intrecci di pagliuzze, da terra non avevo saputo vedere chiaramente. Le mie zampe adesso erano insicure, e un piccolo brivido mi si fissò sulla schiena. Ogni traballante passo mi faceva perdere l'equilibrio; avanzai ancora, poi mi tesi verso un altro ramo. Lo afferrai con le zampe anteriori, poi saltai con le altre. Alla fine di quell'ultimo ponte sospeso, ecco il nido. Non notai la splendida vista che si profilava, quello scorcio del mondo che solo chi vola può godere; ancora adesso, me ne pento. Guardai invece dentro la tana dei due uccelli, e la meraviglia furono tre uova azzurrine.

Le contemplai per un lungo attimo, ancora col fiatone. Gli occhi mi brillarono di gioia, e per la prima volta pensai a qualcosa: il ritorno da mia madre.

Ne presi uno e lo osservai. Era caldo.

Leroy aveva cacciato un corvo, io tre uova di pettirosso. Ero un adulto.

Crack.

Non dondolai, scesi immediatamente. Quando realizzai dove mi trovavo, tenevo ancora l'uovo davanti a me. Lo lasciai per divincolarmi, lanciando gli occhi da una parte all'altra, ma non fu comunque d'aiuto.

Battei la schiena su un ramo, poi su un altro, spezzandolo di netto; continuai la mia rapida discesa fino al suolo, riuscendo a girarmi sulle zampe, finendo letteralmente schiacciato a terra.

Lanciai un grido di dolore, sentivo sulla lingua il gusto acre del sangue. Lo stomaco si contrasse e turbinò faticosamente, facendomi tossire mentre cercavo di prendere fiato, con gli occhi pieni di lacrime. La prima cosa che lo spavento mi suggerì fu quella di alzarmi e scappare, ma accennai solamente due passi, prima di stramazzare di nuovo. Una fitta alla zampa destra mi impediva di procedere, il dolore annebbiò i miei sensi; rimasi dov'ero, in silenzio.

Accanto a me, in una pozza gialla, c'era l'uovo azzurrino che prima era il mio trofeo. Subito dopo, con uno schianto sottile, ci fece compagnia tutto il nido. La vista di quel disastro mi fece sentire stupido; era la stessa sensazione che avevo provato nel guardare Leroy mangiare il corvo.

Mi ricordai però anche dei due uccelli, e mi venne una fretta del diavolo. Mi alzai, ma non riuscivo a mettere peso sulla zampa sinistra. Abbozzai qualche passo, e capii come muovermi senza provare troppo dolore.

La pioggia tornò più forte e pesante quando ero già lontano. Un tuono severo mi fece fermare. Di colpo la mente mi riportò alla quercia, e al nido perduto, ai due uccelli che si disperavano. Finito il rumore, ripresi a zoppicare attraverso il bosco.

«Cos'è?».

«Niente».

«Cos'hai fatto?».

«Sono caduto. Da un albero».

I miei fratelli osservavano nostra madre stringermi la zampa. Io chiudevo gli occhi e digrignavo i denti, perché stringeva forte.

«Idiota. Merdoso».

«Ho visto delle uova».

Lei mi lasciò andare e mi diede le spalle, verso la cucina. Gli altri si sedettero tutti a tavola.

«Se ti sei rotto, sei dannato. Io il dottore non lo chiamo».

Mangiavano, io me ne stavo in un angolino, rannicchiato al muro. Il piatto al mio posto non c'era. L'unico a guardarmi, un paio di volte, era Otis. Fuori continuava a piovere, anche al buio, faceva un gran fracasso.

Mi faceva male tutto, e piangevo da solo.

Dopo due settimane capii di essermi rimesso. Il dolore alla schiena non si fece più sentire, quello alla zampa invece rimase come una maledizione; se correvo tornava a darmi le fitte, se ci mettevo troppo peso si lamentava. Appresi d'essere diventato zoppo con molta fatica, e con la vergogna di sentirmi inutile. Nel periodo della mia degenza trascorsi le giornate a letto, assieme a Otis e Cara, che non facevano nient'altro che lasciarsi andare. Ripensavo alla mia imprudenza, alle uova di pettirosso, a quei desideri di rivalsa che ora dovevo buttare lontano. Piangevo spesso.

«Archy, ti fa male?», mi chiedeva Otis.

«No. Debbo morire», gli rispondevo.

«Se devi morire tu, io cosa dovrei fare?».

Si arrampicava a fatica sul letto, poi si metteva a fissarmi, oppure a guardare Cara. Lo ignoravo, forse addirittura con un pizzico d'odio; pensavo che adesso avevo più cose in comune con lui che con Leroy. Mio fratello, il rachitico, il denutrito destinato a una vita breve, aveva preso a parlarmi.

Uscii dalla tana appena mi fu possibile. Incontrai Louise non molto lontano.

«Archy, ti va di giocare?».

Non riuscivo a starle dietro, la perdevo di vista. Louise faceva il giro degli alberi e si fermava, poi scattava di nuovo. Quando fui troppo dolorante mi adagiai accanto a un rivolo d'acqua. Un rospo si era tuffato in tutta fretta e aveva raggiunto l'altra parte, mi scrutava pigramente dandomi la schiena.

«Piangi, Archy?».

Ecco Louise. Si era messa accanto a me, ancora col fiatone.

«Sì, non posso più correre», singhiozzai. Il rumore del ruscello ci accompagnò per un lungo attimo, io continuavo a piangere e mia sorella s'era accorta del rospo. D'un tratto mi diede un morso sull'orecchio, venendomi addosso. Mi girai sulla schiena e le risposi, iniziando una zuffa, una delle nostre solite. Ci aggrovigliammo furiosamente, poi rallentammo, smettendo di colpirci; il gioco si era trasformato in un dolce movimento dei nostri corpi, dove davo carezze con gli occhi chiusi, e sentivo un blocco alla gola. Anche Louise sembrava avvertire quella sensazione. Respirava affannosamente, e il suo sguardo era nebbioso.

Mi diede la schiena, lasciandomi avvicinare a lei. Io le salii sopra, affannato, con lei che spingeva contro di me.

Sentii il blocco svanire; il mondo rimpicciolì all'istante, mi si strinse tutto attorno, in un brivido di calore. Mia sorella lanciò un grido di dolore, ma non si mosse. Solo in quel momento mi resi conto che mi ero infilato dentro di lei.

«Archy, Archy...», mi aveva chiamato. «Sono bella, Archy?».

Le dissi di sì, ma forse non mi sentì nemmeno.

Io e Louise continuammo quella cosa ogni giorno, nello stesso posto. Lei mi aspettava al ruscello e io arrivavo zoppicando. La notte non facevo che pensare a lei, due corpi più a sinistra del letto, profondamente addormentata. Mi ero dimenticato della mia disgrazia in un battibaleno, nemmeno lo sguardo sprezzante di nostra madre mi toccava.

«Forse sarebbe meglio andarcene», dicevo a Louise, quando giaceva accanto a me.

«Perché?».

«Non lo so. Stiamo da soli, per sempre».

Lei non mi ascoltava mai.

«Da nostra madre c'è da mangiare. E io ci sto bene».

Parlavamo poco. Per riprendere le energie restavamo stesi sui sassi del ruscello, con gli occhi chiusi, oppure a guardare il cielo che scuriva. Quand'eravamo pronti ricominciavamo, poi si rientrava.

Sognavo di scappare con lei, per questo ogni tanto glielo chiedevo. Nel sogno attraversavamo il bosco e proseguivamo chissà dove, felicissimi. Quando Louise mi parlava di cibo cadevo dalle nuvole, perché nelle mie fantasie non ci vedevo mai mangiare, ma solo correre oltre ogni cosa. In effetti se fossimo scappati, nutrirsi sarebbe stato più che necessario, e nelle mie condizioni non le avrei potuto garantire niente.

«È la stagione degli amori», diceva lei, specchiandosi nell'acqua. «Ti amo, Archy».

III
Una gallina e mezzo

Un giorno, di mattina presto, mia madre mi svegliò. Leroy, già seduto al tavolo in cucina, mangiava qualche bacca, e lei ne diede qualcuna anche a me.

«Mamma...».

«Mangia e stai zitto».

Leroy mi squadrava imperioso. Non aveva più parlato a nessuno di noi da quando aveva dimostrato di essere maturo. Uscimmo in silenzio dalla tana. Mi venne il terrore che avessero deciso di uccidermi, perché uno zoppo era solo un peso; fra poco mi avrebbero attaccato insieme e mi avrebbero servito a tavola il giorno dopo.

«Mamma...».

«Seguici. E smettila di parlare».

Ci addentrammo nel bosco, oltre i Tre Torrenti. Non riuscivo a stare al loro passo, così mio fratello doveva aspettarmi.

«Dove andiamo, Leroy?».

Riprendeva subito a camminare.

Quando mi fu chiaro che ci stavamo allontanando troppo, non pensai più che volessero uccidermi. Per farmi passare la paura, immaginai mi stessero portando dal dottore; mi curavano per farmi diventare come nuovo. Nostra madre aspettava all'inizio di un prato fra gli alberi, appena prima dell'erba alta, ci addentrammo tutti assieme. Al centro del prato c'era una collinetta, sopra di essa un grosso macigno, ai suoi piedi un paio di finestrelle scavate nel terreno. Nostra madre bussò a una delle due, qualcuno la vide e andò ad aprirci la porta. Entrammo dentro una stanza molto grande, buia, e piena di sacchi di cibo. C'era un odore dolciastro. In un angolo di quella stanza, vicino alla finestra dove nostra madre aveva bussato, stava seduta una vecchia volpe, illuminata da una piccola lampada. Ci fermammo a pochi passi da lei.

«È lui, Annette?», disse la volpe, indicandomi.

Fui scosso da un brivido. Scoprivo il nome di mia madre.

«Sì», rispose lei.

«Sembra sano».

«È zoppo. Non corre. A me non serve più».

La vecchia volpe rise.

«E a me sì?».

«Può lavorare. Sei vecchio, e non puoi trovare di meglio».

Guardai mia madre, dritto nei suoi occhi di tenebra.

«È il dottore?».

Mi diede uno schiaffo. Trattenni il fiato e mi ingobbii, senza dire più niente. Leroy osservava impassibile.

«Una gallina, Annette, non ti darò di più».

«Una gallina e mezzo, come d'accordo».

La vecchia volpe si alzò.

«E sia. Ma la metà dopo un mese. E solo se lavora come dici».

Nostra madre non rispose. La vecchia volpe entrò in un'altra stanza e tornò con un pollo senza testa. In una delle cosce aveva un segno che conoscevo, quello di Solomon l'usuraio. Mi vendevano a lui per una gallina e mezzo. Si girarono per andare alla porta, ma mi attaccai a lei.

«Mamma!».

Mi spinse via, le cadde la gallina.

«Non piangere, merdoso!», mi disse; ma già piangevo, e avevo il fiato spezzato. Lei raccolse la gallina e si avviò alla porta.

«Leroy!».

Mio fratello non mi considerò.

«Mamma! Mamma! Scusa mamma!».

Pensavo al nido, all'albero, a quel grande tuono.

«Basta, pelo di culo!».

La vecchia volpe mi afferrò per la collottola e mi sollevò da terra. Mi dimenavo, gridavo come un pazzo, mi colpì forte. Attraversammo un'altra stanza e aprì una porticina che dava sul nero.

«Datti una calmata, poi ne riparliamo», mi disse, io urlavo.

Mi cacciò dentro, al buio, e chiuse la porta. La stanza era minuscola, sbattei contro le pareti cercando di scappare. Gridai finché avevo forza, poi piansi e basta, rannicchiato su me stesso. Mai come in quel momento mi sentii più perduto, e debole, e invisibile.

Non saprei dire quanto rimasi chiuso al buio, ma ebbi il tempo di addormentarmi almeno due volte.

I volti a me familiari comparivano davanti ai miei occhi come fantasmi ballerini; prima mia madre, poi Leroy, e Cara, Otis e Louise.

Louise, nella stagione degli amori. Il mio respiro si faceva lontano. Quando la vecchia volpe aprì la porta, fui accecato dalla luce.

«Finita la lagna, pelo di culo?».

Non risposi.

«Sarà meglio. Muoviti».

Mi portò in una cucina modesta, un'altra stanza ancora. Sedemmo al tavolo e mi passò un piatto, con dentro un osso cavo e due chicchi d'uva.

«Mangia, sennò ti scappa».

Ingoiai i due chicchi. A quel punto avevo finito.

«Cos'è, l'osso non ti piace?», mi disse indicandolo.

«È vuoto, signore».

«Non sono un signore. Sono il TUO signore. Chiamami così».

Annuii, ma l'osso non lo toccai lo stesso.

La vecchia volpe continuò a fissarmi.

«Non sei stupido», disse riprendendosi il piatto. «No, non sei stupido affatto. Sei figlio di Davis, vero?».

Ancora una volta feci di sì con la testa.

«È finito male. D'altronde un bandito smette solo in due modi», disse. Poi s'impensierì, e mi squadrò da cima a fondo. Osservai quel velocissimo cambio d'espressione con un brivido.

«Di' un po', non sarai mica un ladro? Sei d'accordo con tua madre, pensate di fregarmi?».

Tremai. Il suo sguardo era duro e tagliente, mi passava attraverso.
«No. Mio signore».
La vecchia volpe si alzò con un verso di soddisfazione.
«Meglio per te. Chiamami solo signore».

Mi portò fuori dalla tana, sulla cima della collinetta. Si vedeva tutto il prato e gli alberi che lo circondavano.
«Fin dove vedi è tutto mio. Capito?».
«Sì, signore».
«Ora ti dico cosa devi fare».
La vecchia volpe mi indicò un fiumiciattolo giù a valle e un piccolo recinto con delle galline. Poi si girò e indirizzò il mio sguardo verso un gruppo di piante più in là, ma io stavo già scappando. Con passo incerto e dolorante, spronato dalla paura, ero quasi arrivato in fondo alla collinetta, e continuavo. Da dietro di me giunse un forte fischio: davvero la volpe pensava mi sarei fermato a suo comando? Al diavolo. Mi spinsi fino all'erba alta, strinsi i denti tenendo un passo sostenuto. Gli alberi erano vicini, poco importava in che direzione li inforcavo, avrei trovato la strada una volta fatto perdere le mie tracce. Poco prima di uscire dall'erba qualcosa mi spinse a terra, facendomi cadere. Mi trovai muso a muso con un cane enorme. Teneva una zampa premuta sul mio petto, così che non potessi rialzarmi, e digrignava i denti scheggiati a un palmo dal mio naso. Mi misi ad urlare, ma quello mi azzannò per la col-

lottola e mi scosse come uno straccio. Se all'inizio potei pensare di essere mangiato, mi ricredetti subito appena notai che mi riportava sulla collinetta.

«Ah! Bastardo il padre, bastardo il figlio!», disse la vecchia volpe, aspettando che il cane mi portasse proprio davanti a lui. «Mettilo giù, Gioele!».

Il cane mi lasciò. Caddi per terra.

«Ti sembro stupido, pelo di culo?», chiese.

«No, signore».

«Bugiardo. L'hai pensato».

Mi diede tre colpi. Forti, sulla testa. Gridai e mi misi a piangere.

«Uccidiamolo, Solomon. È un vigliacco, ed è pure zoppo», disse il cane.

La vecchia volpe lo guardò.

«Non dare fiato alla bocca. Sa sempre di merda, ricordi? Ora torna a fare quello che stavi facendo».

Il cane non rispose e se ne andò, zitto zitto, senza protestare. Salì sopra il macigno e sedette sul punto più in alto.

La volpe mi legò una corda attorno al collo.

«Ora non scappi più, vero?».

Mi trascinò giù per la collina, verso il gruppo di piante che prima indicava. Mi diede un sacco di tela e mi disse di riempirlo con i semi del grano. Quando ebbi finito tornammo al recinto e me lo fece dare ai polli, poi andammo al fiumiciattolo con due secchi vuoti. Il primo serviva alle galline, l'altro era per noi.

Vicino alla cucina c'era una grande conca di metallo, che mi costrinse a riempire con una serie di viaggi. Tornammo dai polli per raccogliere qualche uovo, poi raggiungemmo un albero di mele dall'altra parte del prato, dove riempii un altro sacco. A quel punto ero stremato e il sole se ne andava dietro l'orizzonte. La vecchia volpe mi riportò nella sua tana e mi tolse la corda. Cenai con quattro chicchi d'uva e un uovo.

«Sei stanco?», mi disse.

«Sì, signore».

«Bene. Vattene a letto».

Mi chiuse ancora nello stanzino scuro. Capii che quella sarebbe stata la mia stanza per chissà quanto tempo. Nonostante la stanchezza, non riuscii a prendere sonno; mi agitavo al buio, senza chiudere gli occhi, contemplando le tenebre vicine. Pensavo a Louise. Era la sola a mancarmi, e sembrava così lontana.

Nei giorni a seguire la vecchia volpe continuò a tenermi al laccio. Ne aveva fatto uno molto più lungo e si portava dietro una sedia, così da stare comodo mentre mi guardava lavorare. Mi riprendeva spesso.

I lavori erano più o meno i soliti, ma certe volte cambiavano. Mi fece iniziare a tagliare l'erba a valle e a far legna per la cucina, altre volte mi faceva piantare dei semi accanto al grano. Le cose le spiegava una sola volta, si arrabbiava se sbagliavo e quando davo a vedere di essere stanco. Mi tirava forte, da farmi bruciare il collo, piangevo e si arrabbiava ancora di più.

«Non piangere, pelo di culo!».

Diceva che non mi sopportava, gli facevo venire la mollezza.

«Fai finta di non essere un debole, per favore».

Parlavamo molto poco. C'erano giorni in cui proprio non aprivo bocca, mi sembrava di aver perso la lingua in uno sbadiglio. Nelle ore passate a lavorare, non facevo altro che ricordare cose. Ogni tanto ripensavo alle intere giornate passate nel grande letto, con gli altri; una volta ricordai quando nostra madre portò via Giosuè, perché aveva iniziato a puzzare. Anche se morto, era stato mio fratello per qualche giorno, ci eravamo scaldati assieme.

Ricordavo gli amori passati al piccolo fiume, e Louise, e «ti amo Archy, è la stagione». Li ricordavo così tanto da farmeli venire a nausea, da desiderare di smetterla e scappare per andare a riprenderli.

«Guarda qua. Hai perso mezzo secchio. Rovescialo e torna indietro».

Non era facile vivere nei ricordi. Non se stavi già vivendo qualcosa, come nella mia situazione. L'unico vantaggio di tormentarsi a quel modo fu quello di capire più a fondo i miei sentimenti. Scoprii che Louise, a parte sulle sponde di quel piccolo fiumiciattolo, per me non esisteva. Non mi chiedevo come stesse in quel momento, né se le mancassi, o se stesse soffrendo. Mi fu chiaro che il potentissimo legame fra me e lei era quell'attimo di godimento che provavamo, e dietro quello il nulla. Non so perché, ma mi sentii triste; prigioniero del sole e della notte, indifferente ai giorni.

«Su, con quell'acqua!».

La vecchia volpe sapeva ascoltare. Una mattina a tavola mi chiese come stessi nella mia stanza.

«È buio, signore», risposi; lui non disse niente. La sera stessa trovai una lampada vicino al mio giaciglio, già accesa. Non c'erano finestre in quel buchetto, ecco il perché di tutto quel nero.

Se lavoravo bene nessuno mi faceva del male, e qualcosa mi ritornava. Un giorno non sbagliai quasi nulla e a cena ricevetti una coscia di pollo, con la carne intorno all'osso. Ne arrivarono altre.

«Sai che Dio ha quasi fatto uccidere Isacco ad Abramo?».

Spesso la vecchia volpe mi diceva queste cose. Io non conoscevo Dio, né Isacco, tantomeno Abramo, e non capivo. Sembravano storie del suo passato.

«Sai che ha creato il mondo in sette giorni?».

Avrei voluto mi spiegasse di più, ma temevo non apprezzasse la curiosità. Quando mi parlava a quel modo me ne stavo zitto, e lui tornava nei suoi pensieri.

I suoi clienti arrivavano ad orari disparati: tutti gli animali del bosco passavano di lì, dai tassi ai conigli, volpi e roditori, gatti selvatici. Se si incontravano, Gioele aveva il compito di mantenere la calma; nel prato le regole erano diverse, nessuno mangiava nessuno.

«Un cliente morto non fa buoni affari», diceva la vecchia volpe. Entravano nella tana senza niente o con qualcosa. Dicevano quello che serviva, oppure il pagamento che andavano ad estinguere. La vecchia volpe prendeva una tavola di legno e marcava delle linee con del colore, riempiendola di segni incomprensibili. Non gli sfuggiva un solo giorno di ritardo, né il benché minimo debito, fosse stato solo un seme. Tutti pagavano con regolarità. Se non lo facevano, Gioele andava a cercarli. Prima di trattare, il cliente dava un ciuffo della sua pelliccia. Era importante, per l'odore. Scaduti i suoi giorni, se ancora non aveva pagato, il cane prendeva quel ciuffo e spariva nel bosco; tornava con le merci dovute o con il proprietario. Nessuno faceva il furbo con Solomon l'usuraio.

Per non soffrire il silenzio, cominciai a diventare amico delle galline. Parlavo solo io, loro non sapevano farlo. Mi venivano vicino per prendere il becchime dal sacco, e io lì mi mettevo a conversare.

«Sei diventato un pollo? Sei ridicolo, pelo di culo».

Quando la vecchia volpe si accorse che salutavo le galline, lo trovò molto divertente, ma fu comunque un momento abbastanza breve. Siccome persistevo cominciò ad irritarsi. Per tre giorni non disse nulla, fece finta di niente; la sera del quarto mi trascinò al recinto.

«È passato un mese», disse. «Oggi è la seconda settimana d'estate, e a tua madre va mezza gallina».

Guardò dentro, me ne indicò una nera.

«Quella lì. Le spezzi il collo e torni indietro».

Sussultai, perché aveva scelto la mia preferita. L'avevo chiamata Sara e la facevo mangiare dalla mia zampa. Sara era una bella gallina.

«Se piangi, prendi le botte».

Ci misi un po' per muovermi, per arrivarle vicino. Sara trotterellò verso di me, anche se non avevo niente per lei. Non avevo mai ucciso, la paura mi faceva tremare.

«Bella, Sara, bella...», le dissi carezzandola. La gallina si faceva toccare. Si era abituata.

«Ci diamo una mossa?», incalzò la vecchia volpe. Tirò la corda, così da farmi bruciare il collo. Presi Sara in braccio, non si ribellò. A stento fermavo le lacrime. Non capivo cosa fare. Le morsi la testa e tirai con forza; i denti bucarono le ossa, le sentii scrocchiare in bocca. Sara lanciava versi disperati, sbatteva le ali, continuavo a strapazzarla.

«Al collo, stupido! Così la uccidi domani!».

In quel momento la paura si era fatta da parte. Sembrava fossi tornato sull'albero morto, al nido di pettirosso; via i pensieri, agivo tramite un desiderio invincibile, mosso dal sangue. La testa a Sara gliela staccai di netto, e il suo corpo si mise a correre per il recinto. Uccisa la prima, avrei potuto ucciderle anche tutte, e mi fu difficile non iniziare ad inseguire le altre. Il corpo di Sara stramazzò a terra, sputai la sua testa. D'improvviso l'euforia scomparve e mi ritrovai col fiatone, felice e spaventato allo stesso tempo. Andai a prendere il corpo e tornai dalla vecchia volpe. Le lacrime, contro la mia volontà, mi scendevano dal muso.

«Hai finito con le bambinerie?», mi disse.

«Sì, signore». Singhiozzavo.

Lui si mosse e feci per parare un colpo, invece mi tolse il laccio dal collo.

«Torniamo indietro».

Ci incamminammo di nuovo verso la collinetta. Il corpo di Sara dondolava ad ogni passo della vecchia volpe.

Non avevo più paura, ma continuai a piangere ancora, di gioia.

IV
Prima, dopo, le vespe

Il giorno dopo lavorai per conto mio, senza nessuno a tenermi d'occhio. Svolsi i miei compiti come sempre, senza tentare di scappare, resistendo alla fatica. La vecchia volpe trattò con un paio di clienti, poi si mise fuori con la sedia a prendere il sole. Aveva un muso soddisfatto.

«Bravo, Gallina!», mi aveva urlato.

Io ero contento. Gallina era meglio che pelo di culo. Sentivo di essere diventato forte di colpo, un vero animale. La zampa mi dolorava, ma la ignoravo, non mi mettevo a piangere; impegnai la mente solo in quello che stavo facendo.

«Sai cosa fece Dio agli egizi?».

Tiravo dritto con il secchio d'acqua.

«Dieci piaghe gli ha lanciato! L'acqua trasformata in sangue, le rane, le zanzare... e le altre non le ricordo».

Cenammo con una metà di Sara, a tavola prese posto anche Gioele.

«Sono stanco di cucinare», diceva la vecchia volpe. «Mi toccherà insegnarlo a Gallina, quando si farà più sveglio».

Noi stavamo zitti.

«Raccontami dei tassi».

Ora guardava il cane.

«Fosco è malato, ha il sangue alla bocca».
«Ecco. Quindi?».
«Pensano che non ce la farà. Il figlio maggiore ha chiesto cinque giorni».
La vecchia volpe sputò un osso.
«Come si chiama?».
«Salvo».
«E la conosce la strada, Salvo?».
Il figlio del tasso sapeva dove pagare. La vecchia volpe si convinse che fosse affidabile, e cinque giorni per mettere tutto assieme sembravano fattibili. Era ovvio però che quel tempo aggiuntivo avrebbe fatto una lieve differenza, dettaglio che Gioele raccontò di aver già comunicato. La vecchia volpe si lanciò in un discorso sul rispetto che gli altri nutrivano nei suoi confronti. Disse che la paura li rendeva precisi, come l'alba la mattina, ma non più intelligenti.
«E menomale», finì.
Quando i piatti furono vuoti mi fece cenno di raccoglierli.
«Domani porta mezza gallina alle faine giù da Zò», disse al cane.
Gioele scosse la testa.
«E come li trovo? Non ci sono mai stato».
La vecchia volpe si scosse lievemente. Gli occhi andarono a cercare una risposta.
«Ah, sì. Annette non fa debiti».
Ci pensò su qualche attimo.
«Portati dietro lui».
Mi indicò e risposi con un sobbalzo, drizzando le orecchie.

«Sai arrivarci da tua madre, Gallina?».

«Quasi, signore».

Qualcosa mi morse lo stomaco. Il cuore mi arrivò alle tempie. L'immagine della tana, del grande letto, mi passò per la testa. Mi sentii felice, poi curioso, poi caddi in un turbinio indecifrabile. Louise si fermò davanti ai miei occhi, con il rumore dell'acqua. Cercai di capire se invece fossi solo contento di allontanarmi dalla collinetta.

«Se scappa lo ammazzi e pace fatta, riporti indietro anche il resto».

La vecchia volpe finiva di parlare a Gioele.

«Vedrai però che non lo fa. Non scappi, vero Gallina?».

«No signore. Sono pure zoppo».

Rise.

«Appunto».

Partimmo il giorno dopo, verso sera, una volta terminati i miei lavori. La vecchia volpe segnò la mezza gallina con il colore e la diede al cane. Alla fine del prato il mio compagno si fermò per parlarmi.

«Andiamo verso i campi di Zò. Appena ricordi, guidi tu».

Dissi di sì. Poi guardai la collinetta nascondersi fra gli alberi.

Gioele teneva un passo modesto, riuscivo a stargli dietro senza dovermi sforzare. Forse era lui, in realtà, a doversi sforzare di andare piano. Se mi distanziava tornava indietro e ripercorreva il tratto con me, con una pazienza amichevole e silenziosa.

Non era più l'aguzzino spietato del nostro padrone comune. Cominciai a sentirmi a mio agio. Dopo poco tempo, soffocando la prudenza, tentai di rendere il viaggio ancora più piacevole.

«Da dove vieni, Gioele?», mi venne da dirgli. La notte oramai ci carezzava gli occhi.

Il cane mi guardò per un istante e continuò ad andare. Mentre mi pentivo di aver parlato, si svegliò come da un sogno.

«Da un nido di vespe».

La risposta mi stupì quanto il fatto di averla ricevuta.

«Come?», gli chiesi.

«Solomon trovò un vespaio vicino alla sua tana, lo tirò giù e si ruppe. Così venni al mondo io, e lui mi tenne con sé».

Non avevo mai sentito una storia del genere. Ricordo che rimasi in silenzio per un po', immaginandomi come delle vespe potessero fare un cane.

«Io vengo solo da mia madre», conclusi.

Gioele annuì, ma senza dirmi nient'altro.

Dopo aver fatto una breve salita, riconobbi i Tre Torrenti. Da lì cominciai ad aprire la strada, fremendo ogni volta che riconoscevo un particolare dei miei ricordi. Il cespuglio in cui mi ero nascosto per cacciare mi passò giusto accanto, animandomi le sensazioni che avevo provato quei giorni, schiacciato tra le frasche. Gli alberi, sebbene mutati per la stagione e distorti dalle tenebre, sembravano appena usciti dai miei pensieri. Così gli odori e qualche suono familiare.

Mi accorsi che stavo rallentando il passo per contemplare quello strano viaggio a ritroso, un confronto tra prima e dopo, una distanza che non avevo mai considerato.

«Cosa c'è? Che succede?», chiese il cane.

Tornai in me. Intontito, ma vigile.

«Nulla. Di qua».

Proseguimmo spediti.

La tana di mia madre spuntò in lontananza. I due alberi vicini si erano coperti di foglie rumorose, e l'erba era cresciuta all'ingresso. Dalla piccola finestrella, con la luce di dentro, qualcuno stava guardando fuori. Distinguere la faccia sfregiata di Cara mi diede un piccolo brivido d'eccitazione; forse anche lei stava riconoscendo me, sebbene non la vidi accennare alcun movimento.

Ci fermammo.

«Non ci entro in questo posto. Sono troppo grosso», disse Gioele. Prese la mezza gallina e la diede a me.

«Vedi di fare in fretta».

Annuii e mi infilai dentro.

Era più piccola di quanto ricordassi. Minuscola, povera. Il tetto, bassissimo, mi costrinse a stare curvo; lì dentro faceva più freddo che fuori. Queste considerazioni, comunque, non mi impegnarono che per un brevissimo istante. Erano seduti al tavolo, finivano di mangiare. Mia madre, al suo solito posto, Louise, bella come nei miei sogni, e un figuro che non avevo mai visto. Sedeva dove stavo io. Si fermarono tutti e guardarono in mia direzione.

Era una faina adulta, con il pelo scuro, la testa massiccia. Teneva le zampe larghe sul tavolo, la bocca ancora in movimento per l'ultimo boccone. I suoi occhi erano fermi, decisi, su di me. Solo allora mi accorsi che quel posto aveva anche cambiato odore.

«Che storia è?», aveva biascicato mia madre.

Mi ripresi, guardai lei. Sapevo che mi aveva riconosciuto, le era venuta quell'espressione di disprezzo, l'unica che avessimo mai condiviso.

«Il mio signore vi manda la mezza gallina», borbottai, e alzai la carne come per mostrare una prova.

«Alla buon'ora. Mettila lì», e mi indicò la cucina.

Io però non mi mossi.

«Chi è questo qui?».

Non mi sarei mai permesso se non fossi stato così confuso. Mia madre spalancò gli occhi.

«Fatti i fattacci tuoi, merdoso! Poggia quella gallina e vattene!».

Fu come se non avesse parlato. Non smettevo di osservare quella squallida stanzetta. Cara non aveva nemmeno girato la testa.

«Dov'è Leroy? E Otis?».

Mia madre si alzò e mi diede una zampata. La metà di Sara cadde a terra, e io con lei.

«Sei sordo? Ti ho detto di andartene!».

«Mamma...», mormorai, ma mi arrivò un altro colpo.

Nel dolore e nella confusione lanciai gli occhi su Louise, ancora al tavolo, che mi fissava.

«Ciao, Archy», disse piano.

Fu un attimo lungo. Mi rialzai, e senza distogliere lo sguardo da mia sorella, cercai di capire cosa volesse comunicarmi attraverso la sua espressione. Gli occhi traballanti, le orecchie a metà, la bocca insicura; c'erano troppe cose nel mezzo, un intreccio di felicità e paura, di agitazione e silenzio. Louise non sembrava Louise. Con quel muso era impossibile immaginare di averle parlato, di essere stati vicini, uniti assieme. Sentivo di non conoscerla, eppure quel qualcosa che cercava di passarmi si arrampicava lì, nei miei ricordi.

Mia madre mi morse alla collottola e mi spinse all'entrata. Per evitare che lo facesse di nuovo mi allontanai in fretta, uscendo di corsa, e lei non mi inseguì. Forse mi aveva bucato la carne, ma la confusione che avevo dentro superava il dolore. Gioele era lì ad aspettarmi.

«Andiamo», disse.

«Un attimo, per favore».

Il cane mi squadrò. Pensai non mi avrebbe ascoltato, invece si sedette e mi fece cenno che andava bene.

Mi girai verso la tana di mia madre. Cara guardava sempre fuori dalla finestra. In pochi passi le ero davanti, chino, in modo che gli altri da dentro non potessero notarmi. Scorgevo lo sconosciuto finire il suo piatto.

«Cara, sono io, riesci a vedermi?», sussurrai.

«Ti vedo», rispose con un filo di voce.

«Che cosa è successo?».

«Aspetta».

Si girò e si tolse dalla finestra. Dopo poco uscì dalla tana, muovendosi piano, come chi non ha la vista. Andammo vicino a Gioele.

«Loro mi credono cieca. Se non fosse stato così, è probabile che mi avrebbero cacciata».

Cara aveva ancora quel suo muso imbronciato e la voce fredda, distaccata, che aveva guadagnato perdendo un occhio.

«Si chiama Mathias. Per noi invece è papà. Con il suo arrivo sono accadute molte cose».

Si mise a raccontare, io stavo ben attento. Anche Gioele tese le orecchie di nascosto, forse convinto che non lo avessi notato. Le parole acide di mia sorella avevano catturato entrambi.

Mathias arrivò nella tana di nostra madre pochi giorni dopo la mia partenza. Non si sa da dove provenisse, né quale fosse la sua storia prima della sua comparsa. Era più giovane di mamma, si vedeva dal pelo e dai modi aggressivi, dalla facilità con cui prendeva sonno. Erano arrivati insieme, ma dovevano essersi conosciuti già da qualche giorno, forse nel bosco, quando lei andava a caccia. Lui si era innamorato di lei, mamma forse non aspettava altro, e non aveva obiettato. La stagione degli amori ci spinge come polline all'aria. Con lui nostra madre rideva, si preoccupava, scioglieva il muso tirato; sembrava serbasse quella metamorfosi da una vita. Adesso era sciocca e piena di sogni.

Con i suoi figli tornava crudele. Li chiamava «bastardi», diceva di stare zitti e di non farsi vedere. Se fossero spariti all'improvviso sarebbe stata contenta, ma continuava a portargli da mangiare. I miei fratelli le facevano spegnere gli occhi; cadeva in se stessa, in un triste e familiare vuoto nascosto.

L'odore dei maschi innervosiva Mathias. Si era azzuffato con Leroy sopra il letto e lo aveva cacciato, gli disse di non tornare. Il giorno dopo prese Otis e lo portò fuori. Otis si era ammalato da qualche giorno, aveva il respiro corto. Non scendeva più dal letto, faticava a mangiare, si era fatto ancora più piccolo e storto.

Se ne sarebbe andato in poco tempo, eppure uscirono. Mathias gli disse di scegliere una strada e camminare dritto, ma Otis non si mosse. Rimase fuori una notte, a piangere, e ancora un giorno, senza rientrare. Nostra madre lo portò lontano quando fu rigido.

A quel punto le femmine dovettero iniziare a chiamarlo papà. Gli piaceva Louise, le faceva le carezze di nascosto quando mamma non guardava, stava molto attento. Cara decise di fingersi cieca per non metterlo sulle spine. Se si fosse accorto che sapeva l'avrebbe mandata via, o forse uccisa. L'aveva tenuta nella tana per non dover allontanare entrambe. Cara sapeva che la sua sopravvivenza stava nello scomparire il più possibile, come Louise sapeva di non dover parlare. Passava il suo tempo alla finestra: finché qualcosa le finiva nel piatto le andava bene.

Mathias non cacciava, lasciava nostra madre uscire da sola. Quando lei se ne andava portava fuori Louise e scomparivano nel bosco, agitati e silenziosi, come quando si ruba qualcosa. Tornavano uno alla volta, prima lei e poi lui, o il contrario; mamma di solito non era ancora a casa, ma se capitava le diceva che era andato a bacche, venendo sempre creduto.

Cara fece una lunga pausa.

«Oltre questo non ho altro da dirti», disse. «Come hai visto, nessuno qui può legarsi ai tuoi ricordi, né ai propri».

Tornò indietro, con il passo incerto di una cieca. Gioele si avviò, io lo raggiunsi dopo averla vista comparire alla finestra. La notte era fitta e andavamo veloci, o almeno mi sforzavo di avere una buona andatura. Qualcosa se ne stava andando ad ogni passo che compivo. Svaniva nel nulla tutta l'euforia dell'andata, l'emozione di tornare, di riconoscere il bosco. Il grande letto, la tana, Louise al fiumiciattolo, il nido di pettirosso, se ne andavano cancellati da una forte corrente. Il prima e il dopo non si erano mescolati, uno aveva soffocato l'altro annullando la differenza. Le mie sorelle e mia madre portavano il muso di Mathias, e Leroy, Otis, scomparivano assieme a tutto il resto, come sogni sfuggiti alla veglia.

Gioele si accorse che rimuginavo.

«Fossi nato dalle vespe, non ti daresti così da pensare», mi disse.

Aveva ragione. Eppure mi sembrò di vederlo triste.

V
Dio

I giorni che seguirono passarono lentamente. Nel mezzo del lavoro capitava che mi incantassi per lunghi attimi, fissavo il vuoto e sbagliavo spesso. Ero ancora disorientato da quel viaggio, dall'aver perduto i miei ricordi. L'odore che avevo sentito là dentro mi colpiva all'improvviso. Se avevo un pensiero su Louise, c'era anche Mathias. La faccia di Cara alla finestra, la stessa che già aveva quando tornavo dalle mie prime uscite, si allontanava sempre di più, come l'ultima volta che l'avevo vista.

«Batti la fiacca, Gallina? Hai nostalgia della tua famiglia?», mi aveva gridato la vecchia volpe.

Avevo fatto di no con la testa. Avevo nostalgia del nulla.

Cinque giorni dopo il mio viaggio, come Gioele aveva riferito, il figlio del tasso giunse nel prato con il pagamento dovuto. Salì fino alla collinetta ed entrò nella tana. In quel momento avevo appena finito di riempire d'acqua la grande conca in cucina. Lasciò ai piedi della vecchia volpe due sacchi di verdure e uno di semi.

«Come sta tuo padre?».

«Molto male».

Solomon grugnì.

«Gli interessi?».

Il giovane tasso frugò in uno dei due sacchi e tirò fuori una piccola scatola. Era di legno, con delle incisioni colorate. Gli occhi della vecchia volpe si illuminarono di colpo, e con un gesto fulmineo gliela tolse dalle mani. S'incurvò su di essa, come se la volesse mangiare, allontanandosi un poco. La guardava intensamente.

«Dove l'hai preso?», biascicò.

«Non lo so. È di mio padre».

«Va bene, va bene. Siamo a posto, puoi andare, debito pagato».

Aveva parlato senza voltarsi. Il giovane tasso fece per andarsene.

«Vuoi una gallina? Del grano?», bofonchiò distrattamente.

Il tasso si fermò alla soglia della porta.

«No, grazie».

La vecchia volpe era ancora a contemplare l'oggetto.

«Ne parleremo poi, l'estate è corta».

Quando rimanemmo soli, mi avvicinai a lui.

«Cos'è?».

Lui sobbalzò per lo spavento, forse non pensava mi trovassi nella tana. Strinse la scatola a sé, togliendole gli occhi di dosso.

«Cosa fai tu qui? Fila a lavorare!», mi gridò.

A quel punto fui io a spaventarmi.

«Mettevo l'acqua nella conca, signore», squittii.

«Hai il naso più lungo della coda, pelo di culo!».

Mi sorpassò e raggiunse la sua stanza, chiudendosi

dentro. Raccolsi i sacchi di semi e di verdure e li misi a posto, tornai alle mie cose.

Nei giorni a seguire la vecchia volpe si fece vedere poco. Usciva dalla sua stanza se c'era un cliente, oppure quando era l'ora di mangiare. Portava la scatola a tavola e continuava a fissarla tra un boccone e l'altro, concentrato, toccandola ogni tanto. Sembrava le chiedesse qualcosa, una risposta a un desiderio che lo turbava. Anche io consideravo poco il mio piatto. Facendo finta di niente, ero sempre con gli occhi puntati dall'altra parte del tavolo.

Dietro le zampe della vecchia volpe, i lati della scatola mostravano incisioni colorate. In un lato riconobbi degli animali che lottavano, in altri due si rincorrevano furiosamente. Il quarto lato, quando la vecchia volpe lo girava in mia direzione, mostrava due creature che non avevo mai visto, molto alte, una accanto all'altra. Erano colorate di bianco e guardavano lontano. Quella figura la vedevo raramente, perché lui la teneva sempre davanti a sé.

«Cosa c'è, non hai fame?».

«Ho fame, signore. Mangio».

Tornavo sul piatto. Aspettavo che si perdesse nuovamente nei suoi pensieri, poi allungavo gli occhi.

Spesso lasciava il cibo a metà. Si alzava e scompariva nella sua stanza, con la porta chiusa. Mi lasciava da solo a rimettere a posto, tanto oramai sapevo farlo bene.

Non avevo mai visto dove dormiva, non ci ero mai entrato. I primi giorni ne avevo scorto un pezzetto dalla porta socchiusa, ma non mi ero azzardato a curiosare. Di sicuro la vecchia volpe continuava a rigirarsi la scatola fra le zampe anche a letto, immerso nel suo incanto personale. La notte, quando mi lasciava solo, la grande tana diventava mia. Giravo per le stanze, mi sedevo al suo posto all'ingresso, sotto la finestrella, mangiando chicchi d'uva. Pensavo a Mathias, e al muso di Louise. Pensavo che ero nel mio regno.

«Fai da mangiare, Gallina».

La vecchia volpe aveva sempre gli occhi sulla scatola. Sussultai, ma senza spaventarmi troppo: lo avevo visto cucinare così tante volte che avrei saputo arrangiarmi.

«Cosa, signore?», chiesi comunque.

«Un uovo e un pomodoro a testa, fai tu, ora zitto».

Batté le zampe sul tavolo.

«Devo capire. Non posso non capire».

Parlava con sé, eppure decisi comunque di prendere quelle parole.

«Cosa?», mormorai.

La vecchia volpe si girò verso di me, digrignò i denti, gli si rizzò il pelo sulla testa.

«Perché non stai zitto se te lo chiedo? Già ti ho detto di tenere il naso a posto!».

Mi lanciò il suo piatto, mancandomi di poco. Andai in un angolo della stanza.

«Fai da mangiare e stai zitto, pelo di culo!».

Montò in piedi.

«Se ti ordino una cosa tu obbedisci, non siamo compari, chiaro?».

Forse si era alzato male, fatto sta che il tavolo ebbe un sussulto e la scatola cadde a terra. Il rumore mi trafisse le orecchie, attraversò ogni vena del mio corpo, come un soffio gelato. La vecchia volpe si bloccò impietrita, gli occhi fermi e spalancati verso il basso. Il cuore mi si dimenò nel petto, il respiro mi fece girare la testa; sentivo arrivare le lacrime, così come il terrore, e mi schiacciavo all'angolo.

All'improvviso un rumore mai sentito girò per la stanza. Erano piccoli colpi estesi nell'aria, in successione, ognuno diverso dall'altro. Vorticavano assieme in un saliscendi, formando un suono docile, che carezzava le orecchie. La scatola si era aperta, una figura simile a quelle incise sul suo lato si muoveva in tondo, seguendo il rumore. Rimanemmo ad osservarla per un lungo istante, immobili, rapiti.

«Ah!», fece la vecchia volpe. «Ah!».

Si chinò a raccoglierla, la portò avanti a sé. Il coperchio pian piano andava chiudendosi, e la figura nascosta rientrava ballando. Quando si chiuse del tutto, cessò anche il rumore. Solomon aspettò un attimo, poi riaprì il coperchio, facendo ricominciare tutto.

«Ah!», disse ancora.

Mi staccai dall'angolo. Quel rumore mi tranquillizzava, così come il muso pieno di gioia della vecchia volpe.

«Cos'è?», gli dissi incantato.

Lui mi sorrise.

«Questo è il segreto! Questa è la funzione! Questo è l'uomo!», gridò.

Se ne andò nella sua stanza, portando con sé il rumore. Misi a posto la cucina e mangiai da solo.

L'estate bruciava l'erba del prato. Si colorava di giallo e tintinnava quando passava il vento. Lavorare era diventato più difficile, mi mancava il respiro e mi si chiudevano gli occhi, andavo spesso al fiumiciattolo per bere. Quand'era troppo caldo mi mettevo all'ombra del grande macigno, a intrecciare dei cesti, o a fare sacchi. La vecchia volpe stava nella tana a sbrigare i suoi conti, completamente ripreso dall'amore per la scatola, che ora era scomparsa nella sua stanza. I giorni dopo averla fatta aprire, aveva continuato ad ascoltarla in continuazione, tanto da farmi imparare quel suono a memoria, così come le mosse di quella figura roteante. Un giorno, mentre me ne stavo all'ombra, Gioele giunse dal prato con un coniglio morto in bocca. Si mise vicino a me per riprendere fiato, lasciandolo a terra.

«Chi è?», gli dissi.

«Uno dei figli di Tito».

«Chi è Tito?».

«Uno che non paga».

Il corpo del piccolo coniglio era storto e insanguinato. Gli mancava il pelo vicino al collo, e la sua faccia era ancora incastrata in un grido silenzioso. Gioele guardava assorto le cime degli alberi in fondo al prato, tornando pian piano a un respiro regolare. Era probabile che Tito fosse fuggito, e che quindi avesse dovuto ripiegare su una preda più vicina; forse addirittura aveva ucciso appositamente il figlio per costringerlo a estinguere il debito. Sapevo ben poco di quello che combinava Gioele fuori dal prato. Di sicuro però si comportava come la vecchia volpe gli diceva.

La domanda mi venne senza averci pensato.

«Tu lo sai chi è Dio?».

Lui non distolse lo sguardo dagli alberi.

«Il padre degli uomini».

Mi stupii. Gioele conosceva Dio, e Dio era il padre degli uomini. Chissà quanti figli aveva.

«Come fai a conoscerlo?», incalzai.

«Tu come fai?», mi rispose.

«Io non lo conosco. Ne parla Solomon».

«Appunto».

Rimanemmo in silenzio. Quando pensai che la conversazione fosse finita, il cane invece si girò verso di me.

«Solomon ha una cosa nella sua stanza. La tiene nascosta, ma so che ha conosciuto Dio grazie a quella».

Prima che potessi rispondergli si era già ripreso il coniglio in bocca. Si allontanò verso l'entrata della tana, dove avrebbe fatto vedere alla vecchia volpe l'esito della sua uscita. Mi lasciò più curioso che mai. Ripresi a fare cesti.

La prima foglia d'autunno mi cadde sotto il naso mentre raccoglievo le mele cadute. Gli alberi svilivano pian piano, si tingevano di rosso e giallo, il vento cambiava direzione. Io ero cresciuto ancora, mi ero irrobustito ed ero diventato forte, lavoravo di giorno e facevo da mangiare la sera.

La notte pensavo ai segreti della vecchia volpe, a quando e come mi sarei permesso di curiosare, combattuto tra paura e desiderio. Cercavo di ricordare il suono leggero della scatola, che oramai avevo dimenticato del tutto, poi dormivo e facevo dei sogni intensi.

La vecchia volpe mi fece iniziare a raccogliere legna per l'inverno. Disse che era un lavoro d'astuzia, bisognava prendere il tempo alle spalle. Superavo il prato e raccoglievo i ramoscelli caduti, prendevo i rami degli alberi secchi, dovevo cercarne sempre di più grossi.

«Questo brucia in un attimo. L'inverno dura cento giorni. Vuoi scaldarti per un attimo, Gallina?».

Quelli che non gli piacevano me li tirava dietro. Li schivavo abbastanza bene.

«Sai che fine ha fatto l'uomo che raccoglieva legna di sabato?».

Avrei voluto saperlo.

Un giorno ventoso lo trovai seduto vicino alla finestrella, mangiava l'uva. Io facevo avanti e indietro con il secchio dell'acqua, passandogli davanti. La sesta volta che rientravo, si era addormentato, e mi sembrò che sarebbe rimasto così per sempre, con gli occhi chiusi e il respiro docile. Inoffensivo per chi gli stava vicino, muto su ogni questione. Lasciai il secchio e mi diressi verso la sua stanza senza pensarci due volte.

La luce entrava da una finestra interrata, impossibile riconoscerla da fuori. C'erano un grande letto e una lampada spenta a lato, le pareti ricoperte da mucchi di cose strane. L'odore era fresco e antico, stuzzicava la mia curiosità, si faceva più forte a seconda di dove mi muovevo. Osservai assurdi strumenti in metallo, oggetti dai meccanismi proibiti, figure disegnate di quelle misteriose creature bianche. Su un piccolo tavolo riconobbi la scatola, accanto ad altre poche cose, forse più importanti delle altre. La tentazione di aprirla fu difficile da ignorare.

Non avevo idea di quale oggetto stessi cercando, né potevo immaginare uno strumento che potesse farmi conoscere Dio. Dovevo trovare qualcosa di nascosto, sapevo solo questo.

«Schifoso bastardo vigliacco e ingannatore!».

Mi girai. La vecchia volpe, masticando un chicco d'uva, mi fissava dall'entrata. La rabbia gli faceva gonfiare il ventre.

«Stai rubando? Eh? Che cosa fai?».

Mi raggiunse in tre passi. Cercai di rannicchiarmi più che potevo, proteggendomi la testa con le zampe.

«Cercavo Dio!», gridai.

Lui mi colpì forte, e poi ancora, e ancora.

«Ti fulmini Dio! Ladro! Pelo di culo!», sputava.

Urlavo dal dolore, mi misi a piangere.

«Debole, lagnoso figlio di nessuno! Cercavi Dio? Eccotelo servito!».

La vecchia volpe mi diede un altro colpo, poi si fermò all'improvviso. Dopo poco rialzai la testa e lo vidi con gli occhi sbarrati, piegato all'indietro, entrambe le zampe strette sulla strozza. Aveva la bocca aperta, ma pronunciava solo gorgoglii smorzati, spostandosi a scatti. Con ancora il dolore a trafiggermi il corpo, mi rialzai. I suoi occhi balzarono su di me, disperati, e con una zampa mi agguantò il pelo.

«Signore...», mugolai.

Strinse forte, poi scivolò a terra, sempre lottando con se stesso. A quel punto mi chinai su di lui e cominciai a scuoterlo, come per scacciare un avversario invisibile. La vecchia volpe si dimenava, si contorceva, e io continuavo a strattonarlo. Di colpo tossì e riprese respiro. Dalla bocca sputò due piccoli noccioli d'uva, poi continuò a tossire fino a farsi venire la bava e il moccio al naso. Gli occhi tornarono lentamente dentro le sue orbite, le mani carezzarono la gola. Quando ebbe nuovamente un respiro regolare, rimanemmo a lungo in silenzio. Guardava un angolo della stanza, steso a terra, tremando.

«Signore...».

«Esci di qui!», rantolò. Non me lo feci ripetere.

Per sei giorni la vecchia volpe si chiuse in silenzio. Non mi punì in nessun modo, né diede l'idea di essere arrabbiato. Si metteva fuori con la sedia e guardava lontano: stava lì tutto il giorno, finché il sole non si abbassava. I clienti li mandava via e diceva di ritornare. Se non rientrava con il buio, uscivo con un piatto che lasciava quasi sempre pieno. Aveva lo sguardo perso, disperatamente agitato. Induriva il muso in un'espressione infelice, lasciava le zampe molli.

Mi interrogai molto su quel cambiamento. Nel mio immaginario, mettendo assieme le cose, davo la colpa a Dio. Forse la vecchia volpe pensava di essere stata punita, come gli egizi, o l'uomo che raccoglieva legna il sabato. Mi aveva picchiato e Dio lo aveva punito. Io cercavo Dio e lui me lo ha impedito. Questi pensieri mi riportarono davanti alla porta della sua stanza, ma l'aveva bloccata.

Il sesto giorno, portandogli il piatto, vidi che piangeva.

Le lacrime gli bagnavano il muso, e senza vergogna sospirava con voce spezzata.

Si era girato verso di me, che gli passavo il piatto.

«Io non voglio», mi disse.

Anche in quel caso sembrava parlasse da solo. Lo guardai senza rispondere, continuando a reggere il suo mangiare.

«Io non voglio», ripeté.

Tirò un profondo respiro e si calmò, mise una zampa a coprirsi gli occhi. La notte illuminava i suoi denti serrati.

«Vai a dormire, Gallina».

Il mattino dopo lo trovai in cucina, curvo su se stesso.

Non doveva aver dormito un istante, il suo piatto era sempre lì, dove lo avevo appoggiato. Presi silenziosamente qualcosa da mangiare.

«Come ti chiami?».

Mi voltai verso di lui. Mi squadrava con aria grave.

«Sono Gallina», risposi, rimanendo fermo, come se dovessi farmi riconoscere.

«Così ti ci chiamo io. Che nome ti ha dato tua madre?».

«Archy, signore».

La vecchia volpe annuì da sola.

«Vuoi conoscere Dio, Archy?», chiese.
Un brivido mi scosse. Aspettai un attimo.
«Sì, signore. Se vuole».
Rise. Per un momento perse l'ombra dal muso.
«Non sei stupido. È una buona cosa».
Mi sedetti. La vecchia volpe sfilò da sotto il sedere un oggetto mai visto. Era rettangolare, nero, con delle incisioni dorate in superficie. Lo poggiò sul tavolo, scansando il suo piatto, con un tonfo sordo. Allungai la testa per vederlo meglio, ma lui ci mise una zampa sopra.
«Sai cos'è la morte, Archy?».
Lo guardai. Con gli occhi mi pregava di rispondere.
«È quando gli altri se ne vanno. Si addormentano per sempre».
La vecchia volpe sorrise amaramente.
«La morte è la prima volontà di Dio», disse con voce spezzata. «E gli altri non c'entrano nulla, perché tocca a ciascuno di noi».
Strinse la zampa in un pugno, due lacrime gli scesero sul muso.
«Io morirò, lo so da tempo. È così che Dio vuole, così come anche tu morirai».
Il sangue mi si gelò nelle vene. Per un attimo fui colto da una profonda paura, radicata nell'animo, che mi intimò di uscire da quella stanza e correre via. Decisi di non ascoltarla e stare fermo, mentre avvertivo il corpo irrigidirsi. La vecchia volpe scansò le lacrime.
«Ebbene sì», disse. «Il giorno di andare arriva per tutti. Se da giovane mi avessero raccontato questa storia, non ci avrei mai creduto».

E così io pensavo, per non sprofondare in quell'assurda consapevolezza. Rivedevo la mia vita fino a quel punto e contavo quante volte mi era balenato in testa di poter morire. Nessuna. La morte aveva sempre toccato chi mi circondava, mai me; nel mio esistere la escludevo a priori, abbandonata dietro l'evolversi dei miei giorni, che credevo avrebbero continuato a scambiarsi senza orizzonti. Fui colpito da una forza invisibile. Il peso dell'aria, della terra sotto le zampe, del cielo, del bosco, di ogni fiume mi schiacciò sotto di sé. Mi spezzai a metà.

Digrignai la bocca, presi poco respiro, e con il cuore a spaccarmi il petto iniziai a piangere anch'io.

«Non ci credo», biascicai. «Non voglio».

La vecchia volpe prese un lato dell'oggetto e lo aprì. Aveva tante strisce sottili legate assieme, piene di simboli mai visti, incisi in linee orizzontali.

«È detto qui, è la parola di Dio. Ognuno ha una fine».

«Chi è Dio?».

«È il padre del mondo».

La vecchia volpe si asciugò di nuovo le lacrime.

«L'unico che non muore».

VI
L’apprendista

La vecchia volpe decise di insegnarmi tutto quello che sapeva. L’oggetto sul tavolo, la parola di Dio, mi disse di chiamarlo libro, e i segni in esso contenuti scritte. Per capire cosa dicevano dovevo imparare a leggere. Una volta imparato a leggere avrei anche imparato a scrivere. La vecchia volpe sapeva fare entrambe le cose, e siccome ero diventato suo apprendista, disse di non chiamarlo più signore, ma solo Solomon.

Per iniziare mi ci vollero alcuni giorni. La tremenda scoperta della morte mi tolse il sonno e mi rese fiacco, lasciandomi annegare in una silente disperazione. Quel che vedevo mi faceva male, quel che sentivo si allontanava in una odiosa eco; il mio rapporto con la vita era scomparso dietro la coscienza della fine. Otis mi veniva in sogno, e lo pensavo quand’ero sveglio. Ricordavo le sue parole a nostra madre, seduta a tavola con noi.

«Morirò perché non cresco».

Anche se triste e avvolto nel pianto, non era sembrato così sicuro di quello che aveva detto, non quanto lo era stato Solomon. Rimaneva il capriccio di un cucciolo, una lagna innocente e piena di speranza: anche Otis non credeva nella sua fine. Ora che sapevo il destino di mio fratello, era chiaro anche il mio e quello di tutti. Mai avrei detto di poter morire a questo mondo. Dovendo morire, il mondo mi diceva che non era mio.

In quel breve periodo la vecchia volpe non mi costrinse a svolgere tutti i lavori. Cucinò per entrambi e non cercò di tirarmi su il morale. Lui stava meglio, ed era perfino di buon umore. Quando capì che non riuscivo a risollevarmi in fretta, mi parlò prima di andare a letto.

«La morte la uccidi se non ci pensi».

Lo guardai.

«Perché?».

«Perché non è adesso. Se non ci penso io, che sono decrepito, devi pensarci tu?».

Mi coricai nel mio buco. Catturando quelle parole una parte di me aveva fatto un salto in avanti, gonfiandomi il petto d'aria. Mi sentii subito meglio.

Solomon mi diede un libro stropicciato, fatto con un tessuto simile ai sacchi che ricamavo. Era di sua creazione, e me lo disse con orgoglio. Dentro c'era un accurato elenco dei simboli che dovevo imparare, le lettere che assieme formavano le parole, disegnate con lo stesso colore con cui marchiava le merci. La sera, dopo aver sbrigato le faccende, ci mettevamo in cucina a studiarle. Su certi suoni la vecchia volpe sembrava un po' incerta, e se glielo facevo notare, si arrabbiava e diceva che bisognava andare ad interpretazione. Capivo alla svelta e questo lo faceva contento. Anche se avevo lavorato tutto il giorno, mettevo nello studio ogni energia rimasta, ponevo delle domande, mi facevo ripetere. Quando imparai a distinguere le lettere passammo alle parole, e ai loro significati.

«In principio Dio creò il cielo e la terra».

Questa fu la prima frase che mi fece leggere. Anche se claudicante e stropicciata, commosse il mio maestro.

«È così, bravo», disse.

Mi insegnava con grande impegno, superando la fatica. Non mi metteva fretta né cercava di saltare passaggi. Vedevo in lui una foga nascosta, un accanimento mansueto che non sapevo a cosa legare. Se non capivo dei significati si fermava a spiegarli, spesso approfondendo altre regole, se mi vedeva stanco facevamo una pausa, se mi incuriosivo mi incoraggiava. Avevo sviluppato una certa confidenza nei suoi confronti, e lui non l'aveva respinta; ora ci parlavamo in maniera diversa, come due pari, mossi da intenti affini. Una sera superai la mia ultima paura e gli chiesi come avesse conosciuto Dio, e come poteva insegnarmi tutto questo. La vecchia volpe rimase in silenzio e mi guardò, e io fui attraversato da un brutto brivido.

«Quand'ero giovane facevo il bandito, e non avevo una tana», cominciò.

A quel punto mi tranquillizzai e tesi bene le orecchie.

Solomon rubava per vivere, scappava da un posto all'altro, sempre nascosto. Certi gli chiedevano di rubare per loro, o di uccidere un vecchio nemico, pagandolo con quello che gli serviva. Non c'era bandito più sveglio di lui, né miserabile con altrettanto spirito.

Un giorno, vagabondando, incontrò un uomo appeso a un albero. Non si muoveva e non parlava, così gli andò vicino senza paura. Ne assaggiò un pezzetto, mordendolo dove arrivava, e poi un altro, e un altro ancora. Cercando di arrivare più in alto, aggrappandosi all'uomo, qualcosa gli cadde in testa. Era il libro di Dio. Subito ne fu spaventato e si allontanò dolorante, ma tornò poco dopo, assieme al silenzio. L'oggetto lo catturò immediatamente, comunicò dapprincipio il suo valore, parlandogli in segreto. In qualche modo si era sentito richiamato da una voce lontana, eppure familiare. Lo portò con sé.

All'inizio non riuscì a comunicarci. Non era in grado di capire le parole, né le lettere. Rimaneva un mistero, un tormento notturno e insonne. Se gli era cascato in testa, dal cielo, un motivo doveva esserci; mai prima di allora, nel suo vivere, aveva cercato un senso più profondo del suo solo istinto.

Fu così che cominciò a spiare gli uomini. Guardava cosa facevano, come parlavano, sforzandosi di capire. Conobbe una cagna che lo prese in simpatia. I figli dei suoi padroni imparavano a leggere e a scrivere, così anche lei aveva capito qualcosa. Lui le portava quello che catturava nel bosco e lei gli insegnava, impegnandosi a seguire i bambini da vicino.

Quando riuscì a leggere, la parola di Dio lo colpì sulla testa ancora più forte. La verità sul mondo e sulla vita distrusse quello che era stato fino a quel momento, sradicandolo da se stesso. Per giorni, proprio come me, si lasciò quasi morire; poi si risollevò. Se Dio aveva scelto di rivelargli quelle cose, non poteva che esserci una spiegazione.

«Io sono figlio suo. Sono un uomo», disse.

Rimasi impietrito. Scrutai i suoi occhi spalancati.

«Un uomo?», balbettai.

«Sì», sussurrò. «L'ha già fatto ad altri, sai? Mi ha trasformato».

Si guardò le zampe come se le vedesse per la prima volta.

«Io ero un uomo, sennò non mi avrebbe cercato. Io sono suo figlio».

Rimase in silenzio pensando a chissà cosa.

«Perché ti ha fatto questo?», chiesi.

«Non lo so, ma non importa», sorrise. «Gli uomini vengono sempre salvati».

Riprendemmo a leggere. Nella mia testa vorticavano le sue parole. E la mia certezza di essere soltanto un animale.

Dio creò la terra, il cielo, e un grande lago che si chiama mare. Concepì Adamo ed Eva, che a loro volta concepirono gli uomini. Gli ebrei erano il suo popolo e li faceva combattere con altri, che non lo conoscevano, o lo ripudiavano. Tanti passaggi di quel libro mi raccontavano storie lontane e poco interessanti, che mi confondevano le idee. Dio era buono e arrabbiato. Puniva chi non gli obbediva e taceva con chi lo cercava. Gli uomini dovevano adorarlo e rispettare le sue leggi, e chi si comportava bene, poteva andare in Paradiso.

Era il posto dove stava Dio, lontano dal mondo, dove gli spiriti andavano a trovarlo una volta morti. Solomon credeva molto in questa cosa, perché lui era stato un uomo.

Gli animali non finivano da nessuna parte e questo mi diede angoscia.

«E gli animali che conoscono Dio?».

«Chiedilo a lui».

L'inverno aveva catturato il bosco da parecchi giorni. Ogni tanto cadeva un po' di neve, che andava a posarsi su quella già a terra. Solomon mi diede un'altra stanza, più grande, con una finestra. Non si fece ringraziare, disse che prima ci tenevano i polli quando faceva freddo. Ce ne stavamo vicini al fuoco, in cucina, prendendo la legna dalla catasta che avevo fatto.

«Non desiderare la donna d'altri. Cos'è la donna?».

«È l'uomo femmina».

Solomon continuava a raccontarmi della sua vita, se chiedevo al momento giusto. Aveva iniziato a fare l'usuraio poco dopo aver scoperto Dio, grazie ai suoi insegnamenti.

«Da lì ho capito che la vita non era solo rubare. O uccidere», disse.

A me sembrava facesse le stesse cose, ma dietro un sistema più complesso; anche quello, disse, l'aveva imparato dal libro di Dio.

Se faceva troppo freddo mi mandava da Gioele con un cesto di legna. La tana del cane era dentro un buco nel masso, sopra le nostre teste. Non aveva quasi niente, solo lo stretto necessario. Se era dentro, lo trovavo quasi sempre avvolto nel letto; gli lasciavo il cesto e salutavo, lui rispondeva con un cenno del capo. C'erano altre volte in cui veniva a mangiare da noi, per parlare con Solomon dei suoi compiti. Se entrava mentre stavamo leggendo, la volpe mi diceva di nascondere il libro.

«Perché?».

«Zitto. Fai quello che ti dico!».

Glielo chiesi di nuovo in una circostanza più tranquilla.

«Dio non è una cosa per tutti», disse. «E di sicuro non per gli stupidi».

Mi guardò male.

«Sei stupido anche tu?».

«No».

«Ecco. E allora trattali a dovere».

Iniziò a farmi assistere ai suoi dialoghi con i clienti. Se per caso uno di loro chiedeva chi fossi, lui rispondeva che ero il suo apprendista, e mi sentivo orgoglioso. Mi diede la tavola di legno su cui scriveva. Mi fece capire che erano tutte le scadenze e le condizioni dei suoi accordi; per questo non gli sfuggiva un giorno di ritardo o un seme in meno. Segnava tutto con un bastoncino sottile, che intingeva in una ciotola di colore rosso. Era il sangue dei suoi polli, oppure ciliegie schiacciate, assieme a bava di lumaca. Aveva imparato a farselo da solo, così come le tavole su cui lo impiegava.

«Prima usavo il mio sangue, poi sono dimagrito troppo», disse.

Mi fece iniziare a marcare le cose che prestava. Dovevo disegnare una croce sul sacco, o sul corpo della merce. Il significato era che il cliente doveva sapere da dove veniva quella roba. Sulla tavola segnava nome e aspetto del cliente, se era nuovo oppure abituale. Durante la chiacchierata si faceva dire dove abitavano, se avevano famiglia, che cosa possedevano. Mentre imparavo a leggere la parola di Dio, ogni tanto mi insegnava a scrivere la mia, a creare pagine bianche, così che potessi dargli un aiuto quando sarei stato bravo. Diceva che stavo ricevendo un dono, e questo mi era stato chiaro fin dall'inizio.

La vecchia volpe mi faceva vedere gli oggetti dell'uomo, che raccoglieva da una vita; mi mostrò un involucro di pelle dove infilavano i piedi, delle tavole dove si disegnavano, un bastone che si apriva formando una cappa, e altri piccoli tesori. Solomon aveva capito le loro funzioni da solo, anche mettendoci giorni, come per la scatola. Dal momento che era stato un uomo, doveva riuscire a comprendere ogni cosa dei suoi simili.

«Guarda qua».

Tirava dei sassolini sul tavolo, ogni volta mostravano una faccia diversa.

«A cosa servono?».

«Non lo so. Stai zitto!».

Certe volte la verità su tutto mi fermava da qualsiasi cosa stessi facendo. Se ero in mezzo alla neve guardavo le mie impronte raggiungermi, e stavo in silenzio. Il bosco imbiancato sembrava avvolto in un sonno profondo, così come parte dei suoi abitanti. Lì mi raggiungeva un profondo senso di leggerezza: intuivo quanto fossero insignificanti gli alberi, e l'erba, e il cielo e la terra. Non potevo che essere quello che ero, perché Dio ci voleva così. La mia pausa, alla fine, era più simile alla corrente di un fiume che a una ribellione. La mia coscienza non cambiava nulla, me lo sentivo.

Fu in uno di quei momenti che lo vidi arrivare dagli alberi. Si arrampicò per la collinetta con passo deciso, la schiena bassa per il freddo e il muso grande e massiccio puntato verso la porta della tana, con la bocca aperta per prendere fiato. L'avevo visto una sola volta, ma ero riuscito subito a riconoscerlo. Mi mossi verso la tana.

Stava già parlando con Solomon, che l'ascoltava con la tavola in mano. Aveva una voce decisa.

«Non tratto con i vagabondi, né con i banditi; quelli non si fanno più trovare», disse la vecchia volpe. «Se hai qualcosa, meglio che la tiri fuori adesso».

«Ho qualcosa», fece lui.

Mi avvicinai a loro. Quando mi vide, non diede cenno di ricordarsi. Prese un piccolo sacco che teneva attorno al collo e ne vuotò il contenuto.

Solomon si mise a ridere.

«Vuoi vendermi dei cocci? Sei stupido?».

«È dell'uomo», rispose.

«È rotto. Meglio che ti cerchi un buco prima di sera, che fa freddo».

Avvertii che si irrigidiva, forse pronto ad aggredire la vecchia volpe; in quel momento guardavo i piccoli frammenti che le aveva mostrato, verdi e luminosi. Cara e Louise ci avevano giocato, e alla fine lo avevano rotto. Il mio tuffo nei ricordi fu spezzato dall'entrata di Gioele.

«Allora, te ne vai? Oppure stasera ceniamo con te?», disse Solomon.

Lui abbozzò all'istante, s'incurvò e mormorò qualcosa.

«Almeno un uovo...».

La vecchia volpe fece cadere a terra i cocci con una zampata.

«Fuori di qui, pezzente!».

Gli lanciò addosso la tavola. Lui indietreggiò di poco, poi gonfiò il petto. A quel punto Gioele si mise fra loro e gli mostrò i denti, facendolo arrivare alla porta in un attimo.

«Buon inverno, caro mio!», gli urlò dietro Solomon.

Uscii di corsa per vedere dove andava. Attraversava il prato nella direzione opposta da dove era venuto. Mathias, l'amore di mia madre. Sparì dietro gli alberi.

«Cosa voleva?», chiesi a Solomon.

«Secondo te? Da mangiare. I vagabondi li detesto, Dio solo sa quanto».

Raccolse la tavola da terra, non aveva scritto niente.

«Che il freddo se lo prenda!».

Guardai uno dei cocci caduti. Non avevo dubbi, era il ninnolo di nostra madre. Dentro di me, in un instante, si accese un insopportabile ronzio. La curiosità mi prese la testa e l'angoscia lo stomaco; scivolai nella mia ignoranza, poco a poco, sempre più desideroso di liberarmene.

VII
Le cose che tornano

Passai notti agitate, svegliandomi alla penombra della mia nuova finestra. Se nevicava osservavo i fiocchi volarle attraverso, pensando a quello che avevo sognato: Louise mi portava al fiume e facevamo la lotta, poi mi chiedeva di scappare via. Altre volte vedevo la tana di nostra madre, in primavera, quando l'erba cresceva. Aprendo gli occhi avevo una sensazione amara; il sogno mi sembrava ancora più irreale e doloroso, e quando ricordavo il passaggio di Mathias non riuscivo più a dormire. Durante il giorno cercavo di non pensarci, ma mi era sempre più difficile. Avevo conservato uno dei cocci che la faina si era messa in testa di vendere a Solomon, e me lo passavo fra le zampe ogni notte insonne, cercando di combattere quell'implacabile bisogno di capire cosa fosse successo. Rivivevo il mio ritorno e l'addio che avevo dato ai miei ricordi. In qualche maniera era come se li avessi solo nascosti. Ora si muovevano al buio, dentro il mio sonno, e di giorno tentavo di rimetterli a posto.

La vecchia volpe non ci mise molto a capire che qualcosa non andava.

«Sei distratto».

«No».

«Dimmi cosa hai appena letto».

Sbuffava, ma senza arrabbiarsi. La pazienza che metteva nell'insegnarmi mi faceva sentire in colpa. Avrei voluto non provare tutte quelle cose.

Con il freddo arrivavano meno clienti. In generale, facevamo affari con chi non andava in letargo. Solomon iniziò a farmi scrivere sulla tavola mentre parlava con loro, e io mi sforzavo di metterci impegno.

«Visto che impari? Ecco fatto, se questo fa il furbo è già morto».

Era contento. Io non riuscivo a contraccambiare, anche se dentro sentivo che lo ero.

Una notte ancora, sognai Louise.

«Sono bella, Archy?».

«Bellissima».

Mia sorella mi portava al piccolo fiume. Guardava lontano, come faceva sempre, distratta dalle sue cose. Ci legavamo assieme e riposavamo in silenzio, lei mi diceva di voler andare via. Le rispondevo che glielo avevo già chiesto io, ma non se lo ricordava.

«È la stagione degli amori», disse. Chiuse gli occhi.

Mi svegliai con il cuore che batteva forte. La testa era ancora intontita da una dolce sensazione, che spariva man mano, con l'abituarsi della mia vista; in breve si trasformò in un dolore acuto, il segno che anche la mia mente era stufa di tormentarsi. Scesi dal letto e andai alla finestra, la luna brillava sulla neve. Da quel momento decisi di arrendermi a me stesso.

«Andare via? Sei diventato scemo?».

Solomon aveva appena mandato Gioele a sbrigare un lavoro. Mi ero messo davanti a lui e gli avevo comunicato le mie intenzioni. Mi aveva guardato come si guarda un pollo da uccidere.

«È solo per un giorno, torno subito», avevo spiegato.

«Te lo dico di nuovo. Sei diventato scemo?».

Feci di no con la testa.

«E dove vorresti andare, con il freddo, zoppo e debole come sei, scemo?».

Mi si fece vicino, respirandomi sul muso.

Deglutii. Mi tremavano le zampe.

«Non sto scappando, Solomon».

«Ci puoi giurare che non scappi. Ora vai a lavorare, così mi dimentico le stupidaggini che riesci a dire».

Mi diede la schiena. A quel punto mi prese un gran coraggio.

«Io devo andare via».

La vecchia volpe si girò di scatto e mi sferrò un colpo, che però evitai indietreggiando.

«Hai dimenticato chi comanda qui?», urlò. «Tu non vai da nessuna parte, sei roba mia!».

Rimasi fermo e risposi al suo sguardo. Avevo le lacrime agli occhi, ma restavo aggrappato a quella mia decisione. Solomon ne fu colpito per un attimo, poi strabuzzò gli occhi e si arrabbiò sul serio. Prese la prima cosa che trovò, una cesta di uova, e me la tirò addosso.

«Togliti quel muso, perché giuro su Dio t'ammazzo!».

Cominciò a inseguirmi, e io fui lesto ad allontanarmi, spostandomi per la stanza, coperto di albumi d'uovo.

Solomon si fermò.

«Vieni qui, pelo di culo!», disse.

Io piangevo dalla parte opposta. I suoi occhi mi fulminavano, cattivi.

«Non me lo fare ripetere. Ti ammazzo, giuro».

Non c'era molto da fare, sapevo che diceva la verità.

Tremando, mi diressi fino da lui, ingobbendo la schiena. Mi diede una zampata sulla testa, facendomi cadere.

«Dove volevi andare?», mi disse.

«Da mia madre», piagnucolai.

Mi diede un'altra zampata, più forte.

«Non vai da nessuna parte. Hai capito?».

Annuii, dolorante.

«Dimmelo! Hai inteso?».

«Sì signore!».

Mi prese per la collottola e mi fece alzare, con una forza inaspettata, spingendomi via.

«Vai a lavorare, allora!», disse. «E fatti un bagno al fiume, così ti togli la merda dalla testa!».

Uscii in mezzo alla neve, infreddolito dai tuorli e dall'albume che avevo addosso.

«Non piangere!», mi urlò. Mi guardava dalla porta. «Fai finta di non essere debole!».

Quel giorno non leggemmo. Cucinai e mangiammo in silenzio, senza dirci una parola. Il muso della vecchia volpe era tranquillo, eppure si avvertiva che era irritato.

«Vattene a dormire».

Mi congedò così. Gioele non era tornato, forse avrebbe passato la notte fuori, chissà dove. Nel mio letto guardavo le tenebre muoversi con il vento, tutt'altro che intenzionato a dormire. Scesi e andai alla finestra, dove tenevo il coccio di Mathias.

Lontano, nella neve, c'era la tana di nostra madre. E Louise. Non riuscivo a immaginarla, a vederla passare nella notte, davanti a me. Oltre il buio c'era il mio dubbio, la mia ignoranza. Dormire avrebbe solo ingigantito il mio desiderio, sapere cosa era successo. Uscii dalla finestra e mi incamminai da solo.

Oltre il prato la neve era meno folta. Gli alberi l'avevano raccolta sulle loro fronde, così mi fu meno difficile muovermi e trovare la strada; ricordavo ancora il tragitto con Gioele, e mi stupii nel riconoscere certi posti che avevamo attraversato. Il buio metteva paura, e il silenzio del freddo accompagnava il mio lesto zoppicare. Anche pensare alla mia decisione mi spaventava, perché ne avrei sicuramente pagato le conseguenze, parola di Solomon.

Per farmi forza pensavo che al ritorno si sarebbe intenerito, perché non ero scappato.

Mi affrettai a superare la collina, scesi troppo veloce e caddi un paio di volte. Lo scroscio gracile dei Tre Torrenti arrivò alle mie orecchie, l'acqua faticava ad aprirsi una strada fra il ghiaccio. Riposai un poco sotto un abete. Avevo freddo, e il mio respiro era lento e affilato, tagliente sulla gola. Un rumore sopra di me mi fece sobbalzare di scatto. Lanciandomi lontano dal tronco, vidi un grosso gatto su un ramo. Stringeva un topo in bocca, che ancora vivo dava i suoi ultimi spasmi. Il gatto mi osservò per un poco.

«Notte da lupi», biascicò.

Ripresi la mia strada seguito dal suo sguardo.

La tana di mia madre era sommersa dalla neve. I due alberi sopra il sasso erano spogli e brutti, l'entrata quasi del tutto coperta. Una piccola lucina brillava dalla finestra, dove mancava la sagoma di Cara. Mi avvicinai piano, un passo per volta, con il cuore lanciato verso l'ignoto.

«Chi è là?», proruppe una voce da dentro.

Sembrava agitata. La lucina si spense subito.

Rimasi fermo, tutto teso.

«Sono Archy», dissi.

«Vattene via!».

Rimasi a debita distanza dall'entrata.

«Mi scusi, qui non vive Annette con i suoi figli?».

«Nessuno con quel nome, vattene ho detto!».

Restai in silenzio per un po'. Da dentro sentivo spostarsi qualcuno.

«Non voglio farvi del male», dissi. «Mi serve solo un'informazione».

«Vattene! O saranno guai!».

Aveva un tono spaventato.

«Vi prego. Poi me ne andrò. Solo un'informazione».

Ancora, sentii muoversi qualcuno. Dopo un lungo attimo, dalla piccola entrata innevata, spuntò fuori la testa di una grande lepre. Per guardarmi non chiudeva gli occhi, e dal suo naso uscivano nuvolette veloci.

«Cosa vuoi?», si affrettò a dire.

«Un'informazione, per favore».

«Parla».

«Qui non vivevano delle faine?».

«Non più».

La grande lepre continuava a tenermi d'occhio, senza spingere troppo la testa fuori.

«Ne ho vista una, mezza cieca».

M'illuminai.

«Ah, sì?».

Da dentro una voce più acuta mormorò qualcosa. La grande lepre rientrò un attimo per discutere. Aspettai che rimettesse fuori la testa.

«Ci ha lasciato la tana. La mia compagna era incinta, e avevamo freddo».

Rifletté qualche momento.

«Strana cortesia», concluse.

«Dov'è andata?».

«Ci ha chiesto dove trovare il Grande Ceppo. È stata la sua unica condizione».

Feci mente locale.

«Cos'è il Grande Ceppo?».

«È un posto».

Mi spiegò come arrivarci, dando le stesse informazioni che aveva dato all'altra faina. Quando finì, sempre con la testa al sicuro, rimase in attesa che me ne andassi.

«Grazie», dissi.

«Addio», fece lui.

Mi allontanai dalla tana di mia madre, dalla tana delle lepri. Al buio, e con la neve, sembrava un luogo del tutto estraneo ai miei ricordi.

Mi ci volle parecchio per raggiungere il Grande Ceppo. Durante il tragitto cresceva in me l'angoscia di trovare mia sorella, di scoprire cos'era successo; avevo iniziato ad avere fame, ma la ignorai, così come il freddo.

In fondo a un dirupo, nel pieno del bosco, spuntava il ceppo di un gigantesco albero caduto, dalle radici sporgenti. Sotto di esso si apriva una rientranza, in fondo alla quale si intravvedeva una piccola luce. Esitai un istante prima di entrare, faceva paura. Era un posto che parlava direttamente con il mio istinto, comandava prudenza.

Dentro l'aria era pesante e acre, copriva qualsiasi odore. Il buio veniva interrotto soltanto da qualche lumino, posto all'entrata di una serie di gallerie. Nella penombra, indistinto, riconobbi la sagoma di un grande animale, e mi spaventai.

«Chi è?», dissi.

Non mi rispose, né si mosse. Sentivo il suo respiro carezzare le pareti della stanza, irregolare e debole.

«Chi sei?», chiesi di nuovo.

A quel punto si mosse, e fui subito all'entrata, pronto a scappare. Una voce stanca mi raggiunse dalle tenebre.

«Entra pure».

Rimasi in silenzio. Con attenzione, mi sporsi per vedere dov'era. Al posto di prima, adesso mi scrutavano gli occhi di un cinghiale.

«Entra. Non voglio farti del male».

Avanzai di un poco. Ora anche lui vedeva me.

«Cerco mia sorella».

Il cinghiale rantolò.

«Cercala».

Entrai, e fummo di nuovo insieme. I suoi occhi restarono puntati verso il vuoto.

«Che posto è questo?», chiesi.

«Questo è il Grande Ceppo, la tana di nessuno».

Solo allora mi accorsi che non mi vedeva. Era vecchio e senza zanne, raccolto contro la parete. Sollevò il muso al soffitto e strappò una piccola radice con un morso.

«Chi viene qui non ha posti dove andare», mormorò. «O altre cose da vedere».

E quello che vidi fu proprio questo. Sotto l'albero si estendeva una serie di gallerie e stanze. Erano luoghi spogli, male illuminati, condivisi da animali di ogni specie. Si ignoravano, giacevano su loro stessi in angoli disparati, oppure si allungavano a cogliere qualche radice dal soffitto. Qualcuno si voltava a guardarmi, altri improvvisavano una breve fuga, se mi riconoscevano come loro predatore. Anche io mi lanciai all'indietro quando distinsi la sagoma di un cane, ma non mi inseguì. Erano vecchi, storpi, malati, ciechi. Abbandonati dagli altri ma sempre legati alla vita, come ogni animale. Osservando quei musi sofferenti, illuminandoli con una lampada che avevo preso, pensavo a Dio; a quanto potesse essere crudele farci combattere per qualcosa che alla fine ci viene tolta. Anche nella loro solitudine, nella loro stanchezza e inappetenza, non pensavano di dover morire, e per assurdo li invidiai.

Non riuscii a trovare mia sorella. Non era là dentro, e nessuno disse di averla vista. La speranza di poterla incontrare, di poter ritrovare Louise, cominciò a spegnersi inesorabilmente. La mia foga si rovesciava nel vuoto, mi prese una grande tristezza.

«Chi è?», disse il cinghiale.

«Sono ancora io».

Grugnì, poi strappò una radice dal soffitto.

«Hai trovato chi cercavi?».

«No».

Un rumore mi fece girare, e vidi un porcospino intento a cambiare i lumini. Si dileguò velocemente.

«È giorno o è notte?», chiese il cinghiale. «Gli uccelli cantano poco in questo posto».

«È notte».

Sospirò.

«Tanto vale dormire, allora. Così sarà domani».

Rimasi a fissare l'entrata della tana per un po'. Fuori cominciava la neve e il buio. Oramai mi ero abituato all'odore del Grande Ceppo, e non mi infastidiva più. Senza la spinta di trovare Cara, la stanchezza si fece subito sentire. Mi sollevò in qualche maniera dalle mie paure, dalla tristezza; il sonno coprì tutto il resto.

Un forte strascichio mi fece svegliare di soprassalto. La luce del giorno entrava nella tana. Con spavento, mi accorsi che un gruppo di animali stava trascinando fuori il cinghiale. I suoi occhi erano rimasti chiusi, la sua testa non si muoveva più. A spingerlo, notai alcuni individui già visti nelle stanze di sotto, e altri che non avevo mai visto prima. Mi alzai e li seguii.

Fuori dall'entrata, sparsi nella neve, c'era un folto gruppo di altri animali. Alcuni erano malconci, altri invece sembravano stare bene. Aspettavano. Quando il cinghiale fu completamente fuori dal Grande Ceppo, lo portarono avanti ancora un po'. C'era un silenzio agitato. E non appena smisero di spingerlo, divenne quasi insopportabile.

L'attimo dopo si lanciarono tutti verso il cadavere, contemporaneamente. L'aria si riempì di versi e di grida, la neve cominciò a volare e a tingersi di rosso. Si accalcavano sul corpo del cinghiale cercando di prenderne un pezzo, schiacciandosi, mordendosi tra loro, tutti contro tutti. La vista di quello spettacolo mi accese immediatamente. Mi ricordai di avere fame, di volere da mangiare. Mi lanciai dentro, infilandomi tra i corpi, graffiando, combattendo la paura, aizzato dall'istinto. Riuscii ad arrivare a qualcosa, lo presi e me lo misi in bocca, mi colpirono e mi andò quasi di traverso. Mi rilanciai con tutta la forza che avevo, ignorando il dolore alla zampa. Morsi chi stava davanti a me finché non mi lasciò avvicinare di più, e a quel punto mi ritrovai davanti al cinghiale.

Non vivevo un momento così sereno da quando avevo ucciso la gallina. Senza dubbi, o domande. Il presente era ritornato ad essere il mio mondo per qualche attimo, e fuori da quello, il nulla. Ero un animale. Ero felice.

Alzando la testa dallo stomaco del cinghiale, coperto di sangue, fra la folla che si dimenava, la riconobbi. Senza un occhio, come l'aveva ridotta nostra madre, un po' più spelacchiata.

«Cara!», chiamai.

Lei si fermò un attimo, mi vide. Poi tornò ad azzuffarsi.

Prima che potessi chiamarla di nuovo, qualcuno mi azzannò la coda e mi tirò indietro, e venni risucchiato dagli altri. Mentre mi spingevano fuori, in preda all'euforia e alla gioia, continuavo a gridare:

«Dio vi maledica! Dio vi maledica!».

E ridevo. Poi mi lanciarono sulla neve.

«Che cosa vuoi».

Cara si muoveva prudentemente per il pendio del dirupo, e io la seguivo. Con un occhio solo, doveva stare attenta a dove metteva le zampe, e ogni tanto andava storta.

Il suo muso era sempre triste come lo ricordavo.

«Dov'è Louise? Dov'è nostra madre?».

Quando lo chiesi avevo il cuore in gola.

«Sono morte, Archy».

Mi bloccai. Lei continuò ad avanzare, poi si girò.

«Addio», disse.

Un fremito mi percosse lo stomaco, ma lo ricacciai. Gli occhi mi si inumidirono, ma non feci scendere una lacrima.

Si era infilata in una tana poco più avanti, a ridosso del dirupo. La raggiunsi ed entrai. Non fece in tempo a girarsi che la colpii con tutta la forza che avevo. E ancora.

Si mise a gridare, ma gli fui addosso immediatamente, picchiandola, trattenendo il fiato, con la testa che scoppiava. Appena mi fermai strisciò ad un angolo della stanza, raccolta su se stessa. Solo in quel momento mi accorsi che viveva da sola, in un buco piccolissimo, con un lettino e una finestrella. E mi accorsi anche del suo aspetto malandato, della sua magrezza, del suo respiro graffiato.

Due lacrime mi scesero sul muso.

«Portami da lei», dissi.

Stavamo tornando verso la tana di nostra madre. Il sole si era alzato in cielo, di un colore pallido. Senza che le avessi chiesto niente, Cara si era messa a parlare della sua vita.

«Senza un occhio non posso cacciare. Non posso correre, né muovermi di soppiatto. L'unico posto dove posso vivere è il Grande Ceppo».

Il Grande Ceppo è il luogo dove molti animali scelgono di morire. Che lei sapesse, era sempre stato così. Lo chiamavano *il luogo del lungo sonno*. Ciechi, storpi, malati e miserabili lo popolavano sia dentro che fuori. Chi se ne andava, nutriva chi ancora era vivo, allungava la loro esistenza di un altro po'. Qualche volta d'inverno arrivavano gli sciacalli, oppure i lupi, a portarsi via qualcuno, se proprio non ne potevano fare a meno. Altre volte venivano per restare, e mandare avanti il ciclo.

Cara parlava della fine degli altri senza includere se stessa. Come se lei avesse potuto continuare a fare quella vita per sempre, stagione per stagione. Anche in quel caso, provai una forte invidia.

Si alzava ogni mattina e si metteva ad aspettare con gli altri. Se c'era da mangiare affrontava la zuffa, altrimenti si aggirava nei paraggi per cercare qualche resto, o raccogliere radici. C'erano giorni in cui non faceva altro che stare alla sua finestrella, come da nostra madre. In ogni sua parola c'era una profonda rassegnazione. L'energia con cui parlava invece era vitale, come se avesse aspettato a lungo di poterlo dire a qualcuno.

«Louise era rimasta incinta», disse all'improvviso. «E nostra madre se n'è accorta».

Adesso il suo tono era pieno di timore, perché forse aveva paura che potessi picchiarla di nuovo. Io pendevo dalle sue labbra, e non mi accorsi che ci eravamo fermati.

«Una mattina ci ha fatte uscire con lei, quando Mathias non c'era. Io fingevo di essere cieca, così mi guidava dicendomi la strada».

Aveva abbassato le orecchie. La voce le si era spezzata.

«Ci siamo fermate, poi mi ha detto di non muovermi. A quel punto ha preso Louise per la collottola e l'ha portata via. L'ho sentita gridare, e sono scappata».

Ebbi un tuffo al cuore. Di nuovo, trattenni uno strappo allo stomaco.

«Sono tornata di notte. Non c'era più nessuno, era tutto in disordine, c'era sangue ovunque. Mathias deve averla uccisa quando ha saputo che cosa è successo».

Mi sentivo pesante. Un sasso a fondo in un fiume. Le pupille non sapevano dove guardare, s'incastravano nei particolari del viso di mia sorella. Con il mio silenzio, il respiro di Cara si era fatto più veloce.

«Dov'è Louise?», chiesi.

«Là, credo».

E mi indicò un gruppo di sassi coperti dalla neve, vicino a un albero esile. Mi mossi senza dirle più niente. Ogni passo che compivo, andavo più a fondo, giù, nel letto del fiume. Il moccio mi arrivò al naso, mi punse con il freddo, le lacrime mi tagliarono gli occhi.

Niente.

C'era solo neve, nient'altro.

Ricordo benissimo quella sensazione. Ancora oggi. Il senso repentino d'irrealtà che mi pervase in un attimo, la sciocca convinzione di essere uno stupido, di essere stato gabbato, che tutta quella storia non fosse vera. Mi girai verso Cara, ma era già sparita, volatilizzata, in fuga per evitarsi le botte, per tornare alla sua vita di miseria e solitudine.

Poi scorsi un ciuffo di peli, poco più in là, emergere dal bianco, dondolare all'aria. Mi avvicinai, come se fossi in un sogno, tolsi la neve.

Nella mia testa a scavare in quel momento non ero io. Ero tornato un cucciolo, in primavera, a giocare alla lotta. Era la stessa sensazione, quella che avevo visto svanire con il muso di Mathias, con il muso di Solomon.

Tolsi la neve, e mi ricordai che gli animali non sanno mentire.
«Ciao», dissi.
E ogni cosa che mi era passata davanti, che avevo vissuto o provato, ritornò a quell'attimo; il prima e il dopo, tutto insieme. La vedevo lisciarsi il pelo e guardare lontano. La sentivo chiedermi se era bella, senza ascoltare la risposta. Rivivevo il suo odore, i miei sogni forsennati, il desiderio di fuggire insieme, la stagione degli amori, quando mi ha detto ti amo.
Ricordavo il rospo che ci guardava dall'altra parte del rivolo d'acqua. Ricordavo il suo muso, passarmi oltre con lo sguardo, assorto. Adesso era una maschera di dolore. Il freddo le aveva ritirato la carne, fino a farle digrignare i denti. I suoi occhi si erano fermati aperti, rigidi, verso l'alto. Le avevano strappato via il ventre, una ferita che parlava ancora attraverso la neve. Le sue zampe, ricurve su se stesse, sembrava cercassero qualcosa di vicino.
Era lì, davanti a me. La mia Louise.
A quel punto mi sentii leggero. Lasciai andare il mio cuore. Mi raccolsi su di lei e piansi; piansi per tutta una vita.

Quando fui stremato, pronto per pensare a quello che adesso avevo da fare, mi accorsi che non ci riuscivo. Non andava più via. Non c'era più un prima, né un dopo. Mi sentii imprigionato. Non era giusto. Io volevo dimenticare, io potevo dimenticare. Allora mi fu chiaro che la colpa era di Dio. Era lui che lo voleva, era lui che si divertiva con me. Dio era crudele verso ogni sua creatura.

Lo maledissi, gli chiesi di uccidermi, ma non fece nulla.

Non arrivarono locuste, o terremoti, o piogge di sangue. Il giorno rimase giorno, con un sole pallido in un cielo sereno. E non mi tolse la vita.

Ma insieme al dolore che portavo dentro, adagio, cominciò a nascere un bisogno. Quello di tornare indietro, da Solomon.

Gioele mi vide non appena spuntai dagli alberi. Si alzò, ma non mi venne incontro. Dall'alto del suo macigno seguì tutto il mio percorso per la collinetta. Nella tana della vecchia volpe le luci erano accese, e un rigagnolo di fumo si alzava verso l'alto. Prima che potessi raggiungere la porta, lo vidi uscire con un bastone.

Non tentai la fuga, né cercai di rannicchiarmi. Mi picchiò forte, senza dire una parola, finché non fui a terra, con il sangue alla bocca. Lanciò via il bastone, aspettò di riprendere fiato.

«Vattene», disse.

Poi rientrò.

Il sole si congedava, si era colorato di rosso. Rimasi dov'ero, in mezzo alla neve, a farmi schiacciare dal dolore. Non lo avevo pregato, non mi ero messo a piangere. Questo aveva fatto sì che le bastonate fossero più forti.

Si era alzato un po' di vento, faceva molto freddo, ma non me ne importava. Guardavo le prime stelle nascere dal buio, nel silenzio dell'inverno, senza paura. Sarei potuto rimanere lì per sempre, ad osservare il mondo che invecchia, come Louise.

Il morso forte di Gioele mi prese per la collottola e mi portò con sé. Nella tana, Solomon gli indicò la mia stanza. Mi ritrovai nel mio letto, senza sentire più il mio corpo. La vecchia volpe aveva raggiunto la porta.

«Pelo di culo», ringhiò.

Poi la chiuse.

VIII
Il resto dell'inverno, Taman-Shud

Quando aprii gli occhi mi colse un forte dolore alla testa. Poi si estese a tutto il corpo, lasciandomi boccheggiare.

Accanto al mio letto c'era una tazza d'acqua, ma non riuscii a muovere un muscolo. Anche il solo girare la testa mi procurava fitte tremende, come fossi incastrato in una pianta di rovi. Decisi di girarmi dall'altra parte, per non avere più sete di quanta già ne avessi.

La luce alla finestra era quella di mezzogiorno, fuori nevicava e c'era vento. Il ricordo del mio breve viaggio prese subito i miei pensieri, e a quel punto desiderai forte di potermi riaddormentare.

La vecchia volpe entrò nella stanza portandosi dietro la sua sedia. Il suo sguardo si accorse subito del mio, ma prima di considerarmi aspettò di mettersi comodo. Mi lanciò addosso due occhi infuocati, fermi e irrequieti allo stesso tempo.

«Vai a lavorare», disse.

Fu strano notare come già si aspettasse la mia risposta, come già sapesse quello che avrei detto. Non dissi nulla, comunque.

«Se non puoi lavorare non ti voglio qui, non mi servi a niente!».

Si mise a tossire.

«Non posso alzarmi, signore», rantolai.

La vecchia volpe ebbe un fremito, forse l'istinto a colpirmi. Guardò la tazza accanto al mio letto, me la lanciò addosso, e poi se ne andò via a grandi passi.

Verso sera entrò nella stanza Gioele. La prima cosa che pensai fu che stava per uccidermi, invece mi lasciò un paio di uova e un pezzo di pollo, assieme ad altra acqua. Uscì senza aver detto una parola.

La cosa che più mi stupì è che non ebbi paura. Mi andava bene morire. Mangiai quello che potei e piansi.

«Non ha niente di rotto, forse un po' di febbre. In due settimane si riprenderà».

Il giorno dopo Solomon aveva fatto chiamare un dottore, un grasso castoro venuto da chissà dove. Mentre mi visitava lo vedevo spostarsi avanti e indietro per la stanza, impaziente di sentire quale fosse la mia condizione.

Il dottore invece era terrorizzato. Forse non lo avevano chiamato con maniere troppo gentili.

«Due settimane!?».

La vecchia volpe mi aveva folgorato.

«È il tempo necessario, sì», balbettò il castoro.

«Faccio prima ad ammazzarlo!».

«Anche».

Gioele era comparso sulla soglia. Il pelo del dottore si rizzò tutto d'un colpo.

«Può provare a dargli aglio e acqua. Almeno per la febbre. Oltre questo non posso fare altro».

In quel momento Solomon mi stava fissando. Vedevo in lui tutto il fastidio per quella situazione. Diede un colpo di tosse.

«Quindi sta bene?».

Il dottore annuì. La vecchia volpe si rivolse a Gioele.

«Dagli un sacco di grano e riportalo dove l'hai preso».

Il castoro si affrettò a lasciare la stanza, ancora con il pelo ritto, senza salutare.

Rimanemmo soli.

«Dio m'è testimone, appena ti riprendi la pagherai cara», biascicò. Chiuse la porta alle sue spalle.

Non mi muovevo dal letto. Gioele mi faceva visita la mattina e la sera, per portarmi da mangiare e cambiare il mio vaso dei bisogni. Solomon non mi venne mai a trovare; lo sentivo borbottare oltre la porta, se ci passava vicino, con il suo solito tono nervoso.

Ogni ora che se ne andava, mi lasciavo affondare nello sconforto e nella tristezza. La mia mente si lanciava sul corpo di Louise, sdraiato nella neve, come un assetato a una fonte velenosa. Ogni mio tentativo di divincolarmi da quell'immagine era inutile, così come non potevo sottrarmi al dolore delle mie membra. Ironicamente, ero passato dall'essere prigioniero dei miei pensieri, ad esserlo anche del mio letto, e questo mi rendeva pieno di rabbia.

Me la prendevo con Dio, perché non potevo fare altrimenti. Forse se non lo avessi conosciuto non mi sarei lamentato più di tanto, avrei accettato ogni cosa come veniva, da vero animale. Ma sapendo di chi era il mondo, ero costretto ad avere un nemico, mi veniva istintivo.

Dopo cinque giorni sfioravo la pazzia. La notte non riuscivo a dormire, e con la luce mi perseguitavano piccoli sogni crudeli. Fu allora che notai un gruppo di fogli vicino alla finestra, quelli che la vecchia volpe mi aveva insegnato a fabbricare. Li raggiunsi rotolandomi su me stesso, cercando di ignorare il dolore, gemendo ad ogni movimento.

Presi uno stelo di paglia dal mio letto, il più duro che trovai, poi mi morsi una zampa e lo intinsi nel mio sangue. Funzionava, scriveva.

Non feci altro per tutto il tempo. Smettevo soltanto quando sentivo arrivare Gioele, oppure quando crollavo dalla stanchezza. Scrissi del mio viaggio e di Louise, del mio sentire, di ogni emozione provata. Una parola tirava l'altra, ad ogni frase seguiva la successiva. Se in alcuni punti non riuscivo a spiegarmi, mi ingegnavo in nuove interpretazioni, parlavo con la carta, mi specchiavo nei miei significati. Quando capii di avere finito, erano quasi passate due settimane senza essermene accorto. Il corpo non mi faceva più così male e la febbre si era dissolta.

Ma non fu questo a farmi meravigliare. Tutta la mia rabbia era sbiadita insieme allo sconforto. Il mio viaggio era diventato un ricordo leggero, una storia terribile ma antica. Stringendo i fogli nella zampa, avvertii il loro peso, era cambiato per sempre. Avevo intrappolato la mia prigione nella carta.

Ero di nuovo libero, e triste.

Mi svegliai che era ancora buio. Strappai la pagina nella quale maledicevo Dio, e poi lasciai il mio scritto sul tavolo della cucina. Presi il secchio e uscii a raccogliere l'acqua, come avevo sempre fatto. Il fiumiciattolo era quasi del tutto ghiacciato, così dovetti rompere a sassate un punto nel quale vedevo ancora la corrente. Certi movimenti mi davano ancora delle fitte, ma niente che non potessi ignorare.

Pian piano andavo riempiendo la grande conca della cucina. La luce cominciò ad alzarsi da dietro gli alberi, senza il sole. Scendeva qualche fiocco di neve.

Al sesto viaggio trovai la vecchia volpe in cucina, intenta a leggere. Mi fermai, ma lui mi indicò di continuare con un gesto secco, senza staccare gli occhi dalle pagine. Quando ebbi finito, lo stava rileggendo una seconda volta.

«Mangiare», borbottò.

Accesi il fuoco e preparai la colazione, dopodiché mi diressi a dare da mangiare alle galline. Presi alcune uova, non tutte, così che potessero covare; tolsi la neve dall'entrata del pollaio.

Solomon aveva posato la mia storia. Ora mi aveva guardato entrare e mettere via le uova. Appena finii, rimasi fermo davanti a lui. Nel suo muso arrabbiato, scorsi della dolcezza, dell'orgoglio.

«Sai cos'è l'amore?», disse.

Non ci avevo mai pensato. Era sempre stata una sensazione, un istinto. Gli dissi così.

«No, non lo è», rispose. «E non è nemmeno il tuo spasimare per quella tua sorella. Sono cose da animali; il fottere, affezionarsi ad un odore, legarsi ad un solo corpo fra gli altri, sono cose per stupidi».

Tossì. Una delle sue zampe si aggrappò al tavolo.

«L'unico vero Amore è quello verso Dio. Qualsiasi altro è destinato a morire, con noi».

Pensai che aveva ragione, e ancora, il muso straziato di Louise mi passò davanti agli occhi.

La vecchia volpe prese i fogli tra le zampe.

«C'è dell'Amore qui, fra le parole. Non si legge, ma si sente».

Rimase qualche attimo incantato, poi si scosse.

«Torna a lavorare!», ringhiò.

Veloce, uscii dalla cucina. Farmi ripetere che il mio legame con Louise era cosa futile non mi risollevò. Capire di non amare più Dio per una cosa futile mi diede invece molto coraggio.

Al contrario di come aveva promesso, Solomon non mi punì. Continuai a lavorare sodo per qualche giorno, poi riprese ad insegnarmi e a volermi come suo assistente. Si era accorto che ero cambiato, che non piangevo più, né abbassavo gli occhi se mi fissava troppo.

«Cos'è, hai smesso di essere un debole?».

Alzava le zampe e io mi scansavo. Bastava a renderlo soddisfatto.

«Dio ha distrutto Sodoma e Gomorra», leggevo.

«Sì. Perché?».

«Perché si ribellavano a Dio».
«Esatto. Vedi di non fare la stessa fine».
La sera lo vedevo pensieroso e non riuscivo a capire perché. Ovviamente non chiedevo nulla per non irritarlo. Se ne stava vicino al fuoco avvolto in una coperta, sgranocchiando castagne raccolte in autunno, tossendo di tanto in tanto.
«Per bastonarti m'è venuto un malanno», diceva. «Speriamo arrivi primavera».
Siccome il tempo si era fatto molto rigido, c'erano giorni in cui non arrivava nessun cliente. La vecchia volpe mi fece spostare le galline dal pollaio, perché altrimenti sarebbero morte. Disse di metterle nella mia stanza, come sempre succedeva negli inverni più rigidi. Il mio letto invece mi ordinò di spostarlo in cucina. Chiamò persino Gioele dal suo giaciglio sul masso, perché occupasse la stanza d'entrata. Per molte notti dormimmo tutti insieme sotto lo stesso tetto. Mi piaceva. C'era una grande forza in questo: una lotta silenziosa contro i malumori del cielo, contro Dio. Solomon si addormentava spesso in cucina, vicino al fuoco, accanto a me. Parlava nel sonno, ma spesso pensavo fosse sveglio, così lo chiamavo.
«Cosa c'è?».
«Hai detto qualcosa?».
«No».
Si alzava, gobbo, e si trascinava in camera sua. Era vecchio.

Visto che non uscivamo più, leggevamo tutto il

giorno. La vecchia volpe mi fece riscrivere certi passi, quelli più difficili, con altre parole.

«Ora si capiscono», disse soddisfatto.

«Dio permette di essere riscritto?», chiesi.

Ci pensò su.

«No».

Stracciò i fogli e li buttò nel fuoco.

La luna seguì il sole, e viceversa, per molte volte. Così una pagina seguì l'altra, fino alla fine del libro. Il mio maestro lo chiuse con delicatezza, carezzandolo con la zampa.

«Ora conosci la parola di Dio, mio padre. L'unica verità sul mondo».

Era commosso. In verità avevo appreso tutte quelle storie con un senso di riluttanza, stupendomi ancora di quanto Dio fosse crudele. Ogni parte sul perdono, sulla sua bontà, non mi aveva allontanato da quello che mi aveva fatto, dall'odio che provavo nei suoi confronti.

«Nessuno avrà timore, se sarà dalla sua parte, se sarà dalla tua parte», continuò la vecchia volpe, tossendo.

Perché mi aveva dato questo dolore? Perché non ero un uomo? Non lo avevo forse cercato, stando dalla sua parte? Perché ha ucciso Louise?

Pensavo queste cose, senza dire nulla. Solomon non avrebbe capito, mi avrebbe picchiato come gli ebrei con gli infedeli.

«Taman-Shud», disse. «È concluso».

Poi mi venne incontro, e mi cinse in un abbraccio. Fui colto di sorpresa e non seppi cosa fare, mi lasciai stringere forte. Lo sentivo singhiozzare, prendere la mia pelliccia senza farmi male, sereno. Non lo avevo mai visto così nudo. Risposi al suo abbraccio.

Quello fu il momento in cui lo trovai più vicino a Dio in assoluto: lo stesso in cui io non potevo esserne più distante.

Mi lasciò andare e sorrise, poi spostò lo sguardo lontano. A quel punto si alzò di scatto, andando verso la finestra.

«Ah! Ecco tornarci indietro la sua benevolenza! Sia lodato!», gridò, girandosi verso di me.

Lo raggiunsi.

«Che succede?».

«Li vedi quei fiori?».

Mi indicò un piccolo gruppo di piantine, che spuntavano dalla neve, in lontananza.

«È finito l'inverno».

IX
Il secondo libro

In poco meno di una settimana la neve iniziò a sciogliersi. Qualche albero aveva già messo i primi boccioli, e la collina si macchiò di un timido verde. Chi si svegliava dal letargo accorreva a comprare cose, a fare debiti, tutti con una gran fame. Solomon trattava, io scrivevo i dettagli, e Gioele teneva calmi gli animi. Una volta dovette uccidere un gatto, che si era avventato su un gerbillo.

«Chi lo vuole?», aveva gridato la vecchia volpe.

Si erano comprati pure il gatto.

Le galline tornarono nel pollaio e guadagnai di nuovo la mia stanza.

«Cos'è, non sei felice?».

«Sì».

«Non pare».

Solomon non accettava che mi fossi indurito, non lo capiva. Forse l'ingenuità con cui vivevo le cose gli mancava, forse gli piaceva fare il ruolo di Dio.

Nel mentre, fra un lavoro e l'altro, cominciai ad interessarmi al bosco, a desiderare di scoprire quali posti nascondevano gli alberi. Con la primavera Gioele stava fuori intere giornate, tornando da chissà dove, talvolta ferito, o sporco, o con qualcuno in bocca. Cominciai a desiderare di poterlo seguire, di poter vedere.

«Brunhilde, ermellino femmina, sacco di grano. Hai scritto?».

«Sì».

La vecchia volpe parlava con il cliente in maniera svelta, aggressiva, da mettergli paura.

«Scambia due galline, una fa le uova, l'altra no, fra quattro giorni. Fatto?».

«Sì».

L'ermellino a questo punto si staccò una ciocca di pelo. Solomon la prese e me la diede, la misi accanto a quello che avevo scritto. Le diede un sacco di grano, e questa si avviò giù per la collina, senza guardarsi indietro.

«Quattro giorni!», urlò, poi gli venne da tossire. «Miserabili».

Stavamo bene. Eravamo zeppi di cibo. Mangiavamo tre volte al giorno.

Solomon ringraziava sempre Dio, poi si afferrava la pancia e si ringraziava da solo. Faceva ridere.

«Rinsavisci, imbecille?», mi diceva. «Ridi, ridi, che non c'è altra cura al mondo!».

Mi ero fatto più grosso, più muscoloso. Zoppicavo sempre, ma ora riuscivo a tenere un buon passo. Con la stagione, i miei istinti si erano riaccesi, vibravano impetuosi nella mia testa, reagivano agli odori. Alla fine presi coraggio.

«Voglio andare con Gioele, conoscere il bosco».

La vecchia volpe era seduta sulla sua sedia, a guardare il tramonto.

«Vedi di non farmi arrabbiare», disse.

«Posso essere d'aiuto, posso scrivere dei posti che vedo».

«Dio ti fulmini!», gridò, poi gli venne la tosse. Si poggiò di nuovo allo schienale.

«Non costringermi ad alzarmi, sto pensando».

Mi svegliò nel cuore della notte. Era agitato, febbrile, gli occhi gli zigzagavano per la stanza.

«Vieni in cucina», mi disse.

Mi fece sedere al tavolo, al lume di una candela. Tirò fuori un libro che non avevo mai visto, fatto con gli stessi fogli che usavamo. Me lo mise davanti con l'attenzione di un oggetto prezioso. Vincendo il sonno, cominciai a sfogliarlo.

«Tienilo bene, stupido!», sibilò.

Era pieno di parole, a tratti scritte in colori diversi, da cima a fondo, finché le pagine non tornavano bianche.

«È Dio?», chiesi, ancora intontito.

«No. Questo sono io».

Carezzò il libro con reverenza. Un luccichio nei suoi occhi gli illuminò il muso. Si alzò, uscì dalla cucina, e tornò indietro con un altro libro, di ottima fattura, perfetto quasi quanto la bibbia. Me lo mise sotto il naso, lo aprii, e vidi che era completamente bianco.

«Voglio che tu scriva di me, come sai fare, con Amore».

Lo guardai perplesso. Lui fece scivolare un libro accanto all'altro.

«Voglio che tu riscriva la mia vita, che la avvicini a Dio».

Sbadigliai.

«Adesso?».

La morte del suo sorriso fu veloce quanto un lampo.

«Adesso e oltre. Muoviti».

Di giorno lavoravo sodo. Di notte venivo svegliato prima dell'alba per mettermi a scrivere. La vecchia volpe era eccitata come un ragazzino, e mi scuoteva con la forza di un giovane. Mi abituai a sentire i suoi colpi di tosse da dietro la porta, quando stava arrivando; aprivo gli occhi, ma non mi riusciva di alzarmi.

«*Sono il figlio unico di mia madre Celine*», leggevo.

Mi fermava la zampa.

«*Sono il figlio di Dio, nato volpe da Celine, per sua volontà*. Scrivi».

Cambiava tante cose. Insinuava Dio ovunque potesse. La maggior parte delle sue gesta, delle sue avventure, si trasformarono in missioni per conto dell'unica verità. Ogni assassinio, o ruberia, o malefatta, diventavano ricerche della luce.

La vecchia volpe mi dettava con gli occhi rivolti verso l'alto, inquinando le sue memorie con devote morali, grugnendo soddisfatto ad ogni bugia, come fosse la realtà dei fatti. A quel punto pensai fosse impazzito, ma ora posso dire con certezza che stava cercando di salvarsi, voleva il Paradiso.

Con la zampa scrivevo, ma con gli occhi divoravo la sua vita, entravo nelle sue avventure di bandito. Quello scritto mi affascinava, mi portava lontano, accendeva la mia fantasia come mai era successo con la parola di Dio. Parlava del vero mondo: della sua infinita crudeltà, della morte, dei dolori che ciascuno di noi era costretto a patire. Ad un certo punto fui io a svegliarmi prima di lui. Aspettavo con trepidanza di poter andare avanti, dimenticando la primavera e il bosco.

«*Rubo le galline con Victor, uccidiamo le altre per divertimento*».

«Aspetta. *Prendiamo una gallina per noi, e le altre le offriamo al Signore*. Così».

Mancavano delle parti. Il racconto si interrompeva bruscamente in alcuni punti, dove delle pagine erano state strappate. Solomon diceva di non badarci, ma vedevo che era stato manomesso, perché certi fatti rimanevano incompleti. Fatti curiosi.

Aveva girato in lungo e in largo. Aveva incontrato orsi, lupi, il re dei cervi; animali mai visti da quelle parti. Aveva raccolto dei compagni, banditi con cui faceva gruppo, con cui condivideva regole e scorribande. Aveva vissuto la fame, il pericolo, la vita del vagabondo senza porsi domande, seguendo la sua natura. Anche se mi stava facendo stralciare tutte quelle storie, non potevo fare a meno di invidiarlo. All'alba di un giorno sereno, posai la penna e lo fissai negli occhi.

«Solomon, io voglio vedere il bosco. Voglio vedere il creato di Dio».

La vecchia volpe s'indurì immediatamente, ma non scattò. Con un piccolo sbuffo si riportò alla calma.

«Non puoi, sei scemo e sei zoppo. Vuoi altri motivi?».

Incrociai le zampe.
«Solomon, allora io non scrivo più», dissi.
Un brivido mi percorse il collo, perché avevo detto troppo, lo sapevo. Con uno scatto repentino mi diede un colpo in faccia, facendomi cadere a terra.
«Non scrivi!?», urlò. «Te le taglio quelle zampe, poi voglio vedere se ci scherzi ancora!».
Mi lanciò addosso il libro nuovo.
«Ogni stagione ce ne hai una! Non sei libero, sei roba mia, merdoso!».
Stava per dire qualcos'altro, ma il fiato gli si spezzò a metà, perché mi avventai su di lui con tutta la forza che avevo. Cademmo a terra insieme e ci rotolammo per la cucina, facendo un gran fracasso. Non lo morsi, né lui tentò di mordere me, forse trattenuto dallo stupore. Mi afferrò un orecchio e tirò forte, io gli avevo bloccato una zampa e con l'altra gli stringevo il naso.
«Bastardo! Bastardo!», gli gridai.
Glielo volevo dire da tanto tempo, e mi venne da piangere.
Gioele entrò in cucina e mi lanciò via con una zampata. Sbattei contro la parete e me lo ritrovai davanti un attimo dopo, con le fauci spalancate.
«Basta! Basta!», gridò la vecchia volpe.
Il cane mi schiacciò al muro e continuò a ringhiare. Solomon si rialzò, ebbe un attacco di tosse, poi si precipitò a nascondere i libri. Aveva un aspetto spaventoso, con il pelo ritto, lo sguardo da assassino.
«Cosa fai qui?», ringhiò.
Gioele si girò verso di lui.

«Ho sentito i rumori».

«Va' a sentire gli uccelli, nessuno ti ha chiamato!».

Il cane rimase perplesso, mi lasciò andare.

«Forza, sciò! Esci da qui!».

La vecchia volpe mi guardò. Pensai volesse salire sul tavolo e saltarmi addosso, uccidermi lì e ora. Invece rimise i libri sul tavolo, come erano prima. Poi raccolse la penna e raddrizzò la tazza di colore. Tornò a fissarmi.

«Scrivi», disse.

Il tono fu così severo che mi scossi per un attimo. Dentro di me, la ragione mi supplicò di tornare al mio posto, come se non fosse successo nulla. Ma avevo già visto quella scena troppe volte.

«No».

Allora la vecchia volpe lanciò i libri, la tazza d'inchiostro e la penna, ribaltò il tavolo e le sedie. Non mi si avvicinò nemmeno. Quando finì gli venne da tossire, e tossì così forte che si piegò su se stesso, fino a cedere e finire a terra, come me. Mi accorsi che stava piangendo.

«Scrivi, ti prego», mormorò.

Faceva compassione. Senza accorgermene, due lacrime erano scese anche dal mio muso. Forse era la paura che scivolava via.

«No».

X
Tutto ciò che è giusto

La prima occasione che si presentò, fu il debito insoluto di un maiale di nome David. I maiali sono lenti e stupidi, così alla vecchia volpe sembrò un'avventura senza troppi pericoli. Gioele ci aspettava fuori, seduto. Solomon gli diede un sacco con tre mele, due per me e una per lui. Ci guardò infastidito, con disprezzo e agitazione.

«Proteggilo o pensati morto», scandì.

Il cane fece un cenno con la testa, poi si girò e scese la collina, e io dietro. Mi voltai tre volte e lo vidi sempre lì, su due zampe a osservarci sparire fra gli alberi. Ancora non capivo quale fosse il suo legame nei miei confronti, se fosse Dio, la scrittura, o un affetto. Lasciavamo il suo libro a poco più di metà, da riprendere quando sarei tornato, da interrompere quando sarei partito nuovamente.

Mi sentivo eccitato. Nel folto del bosco era tutto sconosciuto, misterioso e inquietante, ancora una volta. Anche se Dio era intorno a noi, lo avevo lasciato sulla collina, assieme alla vecchia volpe. La mia tristezza invece me la portavo sempre appresso, ma in quel momento sembrava aver lasciato la presa.

Ci dirigevamo dalla parte opposta dei Tre Torrenti, in una sottile radura incastrata fra gli alberi, a ridosso di uno stagno. Gioele conosceva bene la strada, e mi ci portò senza tradire il suo naturale silenzio; solo una volta, durante il percorso, si arrestò all'improvviso, e mi disse di fare altrettanto.

«Cosa c'è?», sussurrai, già teso.

Lui annusò l'aria, puntò una direzione e rimase ad ascoltare, con i muscoli tirati. Trattenni il respiro, sentendo il cuore battermi più veloce.

«È lontano», disse.

Si rilassò.

«Andiamo avanti».

Come poi venni a sapere, i maiali abitavano la radura solo in estate e primavera. Le varie famiglie passavano l'inverno in altre tane, separate, per sopravvivere come meglio credevano. In principio non era stato così, e difatti erano arrivati al sovraffollamento, poi a una grande pestilenza. Gli alberi che circondavano la piana erano querce, d'autunno davano ghiande. Lo stagno su cui si affacciava era basso e fangoso, sempre fresco.

Ogni famiglia aveva la propria tana, ma fuori lo spazio era in comune, e nessuno cercava di toglierlo al suo prossimo.

Non sembravano né lenti, né stupidi. Avevano il pelo raso, simili a cinghiali ma senza zanne prominenti, leggermente più esili. Appena ci videro arrivare si nascosero tutti quanti, maschi e femmine, madri e cuccioli. Rimanemmo soli, al centro del prato.

Dopo poco, da lontano, ci venne incontro una grande scrofa seguita da due maschi robusti. Doveva essere il capo delle famiglie, il membro più anziano, perché i maiali fanno decidere tutto alle femmine.

«Cane!», gridò. «Non ci sono affari qui per il tuo padrone! Prendi il tuo compare e tornate indietro!».

Mi accorsi in quel momento che mentre lei avanzava, tutt'intorno a noi spuntavano altri maiali, da ogni parte, sbucando dalle tane. Eravamo circondati. Si tenevano a distanza, ma erano pronti a caricare. Gioele non li considerò, tenne il suo sguardo sulla grande scrofa, che si era avvicinata abbastanza da poterci parlare normalmente.

«Andatevene», disse.

«Non ti conosco. Dov'è Giuditta?», rispose il cane.

Gli altri maiali avevano stretto il cerchio. La tensione li rendeva frenetici, tremavano sul posto. Anche io avevo cominciato ad agitarmi, girandomi da tutte le parti.

«Giuditta ha fatto il suo tempo. Comando io qui, e dico che in stagione non c'è posto per affari o altri animali. Andatevene o peggio per voi, non abbiamo paura».

Gioele ignorò completamente la minaccia.

«Cerchiamo David, che ha fatto debito la scorsa estate con Solomon l'usuraio», disse.

La grande scrofa grugnì, ed io ebbi un tremore. Sentivo sarebbe successo qualcosa.

«David se l'è preso l'uomo lo scorso inverno. Ora vive senza fatica dietro un filo d'argento, pasciuto e dissetato senza muovere un muscolo, non troppo lontano da qui».

Il gruppo di maiali seguì con un mormorio, come se quella storia la conoscessero tutti, come se lo invidiassero.

«Qualcuno deve pagare», disse Gioele.

La grande scrofa batté la zampa a terra.

«Andatevene!», ribadì.

E come mi aspettavo, bastò il più leggero dei fastidi, una parola brusca, per dare sfogo agli animi.

In un attimo tre dei loro furono su di noi. Gioele mi scansò con una zampata e spinse via il primo, schivò il secondo e azzannò l'orecchio del terzo, strappandolo di netto. Con un grido atroce, fiottando sangue, il maiale si lanciò in una fuga disperata. Gli altri, sentendolo urlare, seguirono subito. In pochissimo tempo erano spariti tutti sottoterra. Eravamo di nuovo soli.

«Prendi, e stai all'occhio».

Mi passò il sacco delle mele, poi si lanciò veloce verso una delle tane. Individuò un'entrata e vi affondò il muso, poi il resto del corpo, scomparendo. Nel prato non c'era anima viva. Solo io, con il sacco delle mele fra le zampe. Continuavo a guardarmi intorno per non essere colto di sorpresa, con il cuore che batteva forte. Da sottoterra sentii delle grida, ma non capivo da quale punto provenissero.

Mi diressi verso la tana da cui era entrato Gioele, ma appena fui vicino all'ingresso sbucarono fuori un paio di maiali in corsa. Lanciai un grido, pensando mi stessero attaccando, invece si scansarono con un balzo, terrorizzati, proseguendo la fuga. Ne arrivò un altro. A quel punto mi misi a fare dei versi, a fingere di volerlo mordere, e lui gridò fortissimo, e si lanciò per la piana scalciando. Era molto divertente. Dall'entrata della tana mi raggiunsero altre grida, così mi misi ad aspettare i prossimi, tirando fuori i denti, eccitato. Mi ritrovai di fronte un maiale enorme. Uscì svelto, sanguinante, gli occhi cattivi di chi combatte, puntati su di me. L'euforia mi passò immediatamente; d'istinto gli lanciai addosso il sacco delle mele e mi diedi alla fuga, come meglio potevo. Con la coda dell'occhio lo vedevo raggiungermi, con il fiato pesante e le ferite aperte, ma invece si defilò rapidamente. Mi fermai. Gioele era uscito da un buco in lontananza, con un giovane maiale in bocca che gridava a squarciagola. Solo allora vidi che altri suoi simili, i più grandi, erano usciti e correvano verso di lui. Il cane ne evitò un paio e fece una lunga curva in corsa, trascinandoseli dietro, puntando poi verso di me. Dal suo sguardo lessi chiaramente «*scappa*», e così feci. Scelsi il punto più vicino al bosco e mi lanciai più veloce che potevo, cercando di non fare forza sulla zampa dolorante, con il tumulto dietro la mia coda, sempre più vicino. Quando Gioele mi raggiunse, m'inforcò di lato con la testa, lanciandomi sopra di lui, con incredibile forza. Nel gesto il maiale gli era quasi scappato di bocca, ma lo riacciuffò al volo, prendendolo per il pelo, come anch'io feci con il suo per non cascare, per non essere travolto dai nostri inseguitori. Sulla groppa del cane correvamo veloci per la radura, verso gli alberi. Dietro i maiali tentavano disperatamente di tenere il nostro passo: erano spaventosi, malconci, lo sguardo carico di dolore e odio. Il nostro prigioniero continuava a gridare aiuto, con il fiato di Gioele sul collo. Vidi le querce oscurare il sole, l'aria farsi più fresca e intensa; cominciammo a zigzagare fra gli alberi, fra le piante di cespuglio. Qualcuno tentò di venirci dietro anche lì, ma si fermò dopo poco, ci stavamo allontanando troppo. Ben presto ad inseguirci furono solo le loro grida, filtrate dalle frasche.

«Qui! Qui! Aiuto!», piangeva il nostro prigioniero.

Ero molto emozionato.

«Zitto, pelo di culo!», gli urlai.

Facemmo sosta in un posto tranquillo. Gioele mi disse di fabbricare un laccio con quello che trovavo, così mi arrangiai con un rampicante. Il collo del maiale era bucato in più punti, e gridò di dolore quando glielo legai attorno.

Aveva continuato a chiamare i compagni fino a che il cane non lo aveva picchiato. Dopo si era messo a mormorare «vigliacchi», piangendo.

Dal momento che avevo perso il sacco con le mele, ci tenemmo la fame; non subii alcun rimprovero, Gioele si occupò semplicemente di recuperare fiato.

«Conosci David?», disse alla fine.

Il nostro prigioniero drizzò le orecchie.

«Sì».

«Dov'è».

«L'ha preso l'uomo, lo scorso inverno».

«Allora è già morto».

«No, lo hanno visto, è dentro un recinto, vivo».
Gioele rimase un attimo a pensare.
«Se non c'è lui, ammazziamo te».
«Vi ci posso portare, vi porto da lui».
«Troppo pericoloso».
Il giovane maiale cominciò a tremare, a piangere.
«No, no, vi ci posso portare, c'è un solo uomo, è un recinto piccolo, e il cane è vecchio», singhiozzò.
«Andiamoci, Gioele», dissi.
Non avevo mai visto un uomo vero, un figlio di Dio. D'un tratto la curiosità mi scaldò la testa.
«No», disse il cane.
«Non è lontano, vi ci porto, vi ci porto».
Il giovane maiale si era pisciato addosso. I suoi occhietti vispi, vivissimi, si aggrappavano disperatamente al mio muso.
«Andiamoci, prendiamo David», dissi.
«Vi ci porto, vi ci porto», continuava a dire il maiale.
Gioele pensò. Credo non gli andasse di mettermi in pericolo, di fare infuriare la vecchia volpe. Anche se avrebbe potuto ucciderlo con facilità, gli ammonimenti di Solomon avevano un'incredibile forza su di lui. Lo temeva come si trema davanti a un forte temporale. D'altra parte però aveva un debito insoluto, e un animale che la stava facendo franca.
«Andiamo a vedere», disse.
«Sì, sì, vi ci porto».
Il nostro prigioniero si era lasciato andare in un sorriso, una leggera gioia di terrore. Nel muoversi

tirò il laccio strozzandosi con un singhiozzo, ignorando le ferite e il sangue che usciva.

«Da questa parte, da questa parte».

Ai piedi di una collina boscosa c'era la tana dell'uomo. Era grande, si alzava dal terreno come un albero spoglio, separata dalla terra. La guardavamo da un campo di grano, nascosti dalle spighe, aspettando che il sole finisse di calare. Prima di addentrarci mi ero spaventato, perché l'uomo era lì dentro, che ci osservava, e Gioele non ci aveva fatto caso.

«Non è l'uomo», sussurrò. «È solo un'ombra per scacciare gli uccelli».

Il giovane maiale ci indicò un recinto a pochi passi dalla tana. Nel recinto si vedevano due maiali, uno più grosso dell'altro, sdraiati vicini.

«Eccolo lì, è il più piccolo».

L'altro maiale era una scrofa incinta. Poggiava il muso sulla schiena di David, serena. Era chiaro che aspettasse figli suoi, si erano dati da fare, dentro quel recinto. In effetti non c'era molto altro con cui occuparsi; a parte una vasca piena d'acqua in un angolo, vivevano in un pezzettino di terra brulla, come i polli che teneva Solomon.

Il loro sonno, così tranquillo, mi impressionò. Non capivo se quella vita fosse orribile o meno, se essere confinati in un recinto confortasse o avvilisse. Da dove li stavo guardando, ne avevo pietà, così come gli altri; eppure quei musi suggerivano che loro ne avessero di noi.

L'uomo uscì dalla tana assieme a una cagna. Erano vecchi entrambi, con il pelo lungo e lo sguardo stanco. I maiali si svegliarono e li guardarono entrare, lasciandosi avvicinare senza timore. L'uomo aveva un sacco in mano e glielo rovesciò davanti, i maiali si misero a mangiare.

A parte la vecchiaia, era simile alle figure che avevo visto nella scatola, o sulle tavole colorate di Solomon; era coperto da tessuti, senza pelliccia, con del pelo bianco che gli cresceva sul muso. Quello era l'aspetto di un figlio di Dio, di un'anima salva.

Dalla porta della tana uscì un altro uomo. Era molto più giovane, più esile, una femmina. Si affacciò sulla soglia e gli parlò nella lingua della bibbia, qualche veloce parola che compresi con un po' di difficoltà. Diceva di rientrare.

Il vecchio chiuse il recinto e tornò indietro, si pulì le zampe davanti alla porta, poi fece una carezza alla cagna e la lasciò fuori. La cagna fece un giro della tana per poi acciambellarsi vicino alla porta.

«Aspettiamo ancora», disse Gioele.

Aspettammo così tanto da farmi passare la paura.

Arrivò il buio. Le luci nella tana si spensero, e non si udì più nessun rumore a parte la notte. Gioele si alzò dal suo nascondiglio e diede uno strattone al nostro prigioniero.

Non stava bene; aveva un muso debole, il fiato veloce ma zoppo. Le ferite sul collo si erano seccate.

Ora erano buchi gonfi e lucidi che riflettevano la luna.
«Adesso lo attiri verso il recinto», gli disse Gioele.
«Sì, va bene».
«Ti inventi una scusa, gli dici che sei ferito, lo fai sporgere».
«D'accordo».
«Ti stai giocando la vita».
Gioele mi diede il laccio da tenere. Il giovane maiale aveva ripreso a tremare.
«Lo porti davanti a quel pezzo di recinto, poi ti nascondi a terra, nell'erba. Non lo mollare», mi disse.
Annuii, mi alzai anche io.
«Fate silenzio».
Il cane andò per primo e si nascose. Guardandolo muoversi, non avvertii nessun rumore, se non un leggero fruscio nell'erba. Cercando di fare altrettanto feci avanzare il prigioniero dove mi aveva indicato. Avvicinandoci al recinto, con il cuore in gola, cercavo un punto in cui nascondermi. Le sagome dei due maiali si stagliavano nel buio, eravamo arrivati. Veloce mi acquattai nell'erba, lasciai il filo mollo; il prigioniero se ne accorse con un sussulto, ma lo tirai subito dopo, per fargli capire che lo tenevo sempre.
Non riuscivo a vedere dove si era nascosto il cane. Il giovane maiale tremava e lanciava gli occhi al mio nascondiglio, così alzai la testa e lo fulminai con lo sguardo.
«Forza», sussurrai.
«David», chiamò a bassa voce. «David!».

Le sagome nel recinto si scossero.
«Chi è?».
Era una voce ancora impastata dal sonno.
«Aiutami David», disse il prigioniero.
Una delle due sagome si alzò.
«Chi è, David?».
Questa era la scrofa.
«Non lo so. Chi è?».
Il maiale si stava avvicinando al recinto. Ora potevo vederlo meglio, mentre si avvicinava sforzando gli occhi, tendendo il naso a qualsiasi odore.
«Sono Ciro, David. Sono ferito».
David si avvicinò ancora di più, lo riconobbe.
«Cosa fai qui? Sei da solo?», disse.
Il prigioniero tentennò. Vidi i suoi occhi tendere verso di me, e un brivido fortissimo mi corse lungo tutta la coda.
«Sono ferito, David. Guarda».
Gli fece vedere il laccio al collo, e i buchi.
«Non riesco a toglierlo, aiutami».
David fece un altro passo, a questo punto era davanti al recinto.
«Chi è, David?», ripeté la scrofa. Nella sua voce adesso c'era preoccupazione.
«Lo conosco, è un mio cugino», disse lui. «Cosa ci fai qui?».
«Aiutami».
Il prigioniero gli diede il collo, ben attento a non essere troppo vicino, in modo che si dovesse sporgere. Piangeva.
«Toglimelo».

David rimase in silenzio, perplesso, senza muoversi.
«Un tuo cugino?».
La scrofa si era alzata e l'aveva raggiunto.
«Toglimelo», ripeteva il prigioniero.
«Cosa vuole? È ferito?».
La scrofa si era avvicinata ancora di più.
«Toglietemi questo laccio».
«Non ci arrivo, avvicinati», aveva detto la scrofa.
«Sei da solo?», aveva ripetuto David.
«Ecco, ci sono».
Gioele fu lesto e comparve dal nulla. Spinse via il prigioniero e si attaccò alla gola della scrofa, in corsa, frenando grazie al morso. Lei tirò un urlo atroce, spalancò gli occhi e tentò subito di indietreggiare, senza riuscire a staccarsi. Per la sorpresa David fece un grande balzo, cacciò un urlo anche lui. Gioele strinse più forte e cominciò a bagnarsi di sangue, nero come la pece, come il buio. La scrofa lanciò un altro grido, che però si smorzò in un gorgoglio disperato, in una violentissima convulsione. David cercava di tirarla indietro, urlando, chiamando aiuto. Il cane riuscì a dare un altro morso per aggrapparsi meglio, e la testa della scrofa si sporse ancora di più, con gli occhi spalancati, la gola aperta. L'odore del sangue era arrivato fino a me e trattenni l'istinto di attaccare anch'io, sforzandomi di non dare complicazioni a Gioele.
«Chi è? Chi è?».
La cagna aveva cominciato ad ululare.
Sentendola il prigioniero tentò la fuga; tirò con

tutte le sue forze il laccio, che tirò me, trascinandomi fuori dal nascondiglio, per il prato.

Mi puntai sulle zampe e feci forza. Il giovane maiale si strozzò e smise di correre. La tana dell'uomo si illuminò, e mi si drizzò il pelo. Gioele ci venne incontro sputando un pezzo di carne.

«Via! Via!», urlò.

Ci mettemmo a correre, tutti e tre, verso il campo di grano.

Le grida di David squarciavano la notte, accompagnate dagli ululati della cagna.

«Chi è? Chi è?».

«Corri!», mi diceva Gioele.

Un forte tuono ci colpì da dietro, seguito da un fischio, poi fummo in mezzo alle spighe, salvi.

Ci fermammo non troppo lontano, quando il bosco fece perdere le nostre tracce. Sorridevo con il fiatone, avevo nel corpo l'euforia di chi ha avuto la vita appesa a un filo. Era stata un'avventura da banditi, una vera scorribanda, mi tornò in mente il libro di Solomon.

«Adesso liberatemi», aveva detto il giovane maiale.

Ansimava, nella corsa gli si erano riaperte le ferite. Gioele mi prese un attimo in disparte.

«Uccidilo», mi disse.

Annuii. Il giovane maiale fu rapido a leggere il mio muso, il passo con cui ero tornato da lui, come tenevo il laccio. Si era subito ritirato, cercando di starmi lontano, facendosi male al collo.

«Non mi sono ribellato, dovete liberarmi!», aveva gridato.

Non gli avevo risposto, Gioele mi guardava poco distante.

Il prigioniero iniziò a piangere, si buttò per terra, farfugliando suppliche che non ricordo.

«Non mi sono ribellato, non mi sono ribellato».

Gli saltai addosso tenendo il laccio corto, strozzandolo. Lui scalciò come poteva, colpendomi sul muso, tenendomi lontano.

«No! No!», gridava, poi singhiozzava quando tiravo.

Non ebbi esitazione. Non mi porsi alcuna domanda, alcun sentimento di pietà. Guardavo la morte prendersi i suoi occhi, farsi largo nei suoi pensieri, senza esserne colpito. Quel giovane maiale moriva e adesso lo sapeva, lo stava scoprendo. Quando fu troppo stanco per lottare gli saltai di nuovo alla gola, mordendolo. Sentendo il sapore del sangue, lo avvertii avere un sussulto.

«No, no», disse ancora una volta, l'ultima.

I suoi occhi si spalancarono, poi si rilassarono guardando distante, rimanendo aperti, fermi. Il suo respiro si fermò accanto al mio, che invece era veloce. Lo avevo ucciso e non me ne pentivo, aveva chiesto la libertà e invece era morto. Non era giusto, ma non aveva importanza; Dio era crudele.

Lo mangiammo, lasciammo solo la testa. Gioele me la indicò.

«Chi è quello lì?».

Afferrai al volo.
«David».
«Esatto».

XI
Anja

Dopo quella prima avventura ne seguirono altre. Di tanto in tanto, quando si presentava un compito facile, la vecchia volpe mi lasciava andare a conoscere la foresta. Non mi mandava troppo lontano, ma spesso gli eventi ci portavano un poco più in là di quello che si aspettava, come nel caso di David.

Divenni bravo a gestire situazioni difficili e seguivo sempre gli ordini di Gioele, quando me ne dava. In alcune occasioni, se la violenza non serviva, faceva addirittura parlare me. Il mio compagno di avventure parlava sempre poco, mi insegnava attraverso i gesti. Non capivo se era triste, oppure felice, o ancora agitato; il suo muso rimaneva perlopiù impassibile ad ogni circostanza, a qualsiasi evento gli si parasse davanti. Mi chiedevo come percepisse il mondo, se avesse emozioni o desideri, se non sentisse il bisogno di piangere. Non arretrava di fronte a niente, portava avanti il suo compito senza eccezioni, aveva paura soltanto del nostro comune padrone. Scoprii che in alcune zone chiamavano Solomon *la volpe con la memoria lunga*, e questo mi fece riflettere sul potere della scrittura, quanto fosse immune al tempo. Continuavo a trascrivere il suo libro, mentre lui mi dettava altre frasi, cambiando la sua stessa storia.

«Solomon, qui manca un pezzo».

Proprio alla fine della pagina una parola si spezzava, scompariva nel nulla; riprendeva con un'altra, che diceva un'altra cosa.

«Vai avanti».

«Manca un pezzo».

«E tu vai avanti!».

Tossiva. Quella tosse sorda non gli era mai passata, e continuava a trascinarsela da tutta la primavera. La sera si metteva fuori con la sua sedia, e guardava il sole tramontare. Gli portavo i primi acini d'uva, o una mela dell'albero; se avevo finito i miei lavori mi mettevo accanto a lui.

«Il mondo è bellissimo», disse una volta. «È bella l'erba, l'acqua, gli alberi, l'aria».

Respirò profondamente.

«Forse è bello perché è l'unico che c'è», feci io.

La vecchia volpe si girò a guardarmi, era irritata.

«È così che l'avrei fatto se fossi stato Lui».

Indicò verso l'alto.

«Abbiamo i gusti simili».

«Già».

Di giorno arrivavano tanti clienti. Trascrivevo gli affari sulle tavole, segnando la merce, annotando i dettagli che mi diceva Solomon. Era un lavoro che non mi dispiaceva, ma di nascosto non aspettavo altro che di ripartire. Quando stavo troppo al chiuso, mi raggiungeva la tristezza: rispuntava dal bosco, dove l'avevo seminata l'ultima volta, e allora il desiderio del viaggio era l'unica cura.

Una sera d'inizio estate ci trovammo davanti un paio di faine. Non mi accorsi subito di loro perché stavo scrivendo, ma appena alzai lo sguardo lasciai cadere la tavola. Dietro un maschio robusto e dal muso schiacciato, si nascondeva timidamente la creatura più bella che avessi mai visto. Mi guardava con due occhi preziosi, fermi e grandi.

Avvampai, rimasi senza fiato, un lungo capogiro danzò nella mia testa, sentii d'essere molle, eppure rigido.

«Ti pesano le zampe? Raccoglila!».

La voce della vecchia volpe mi fece rinsavire. Distolsi lo sguardo, raccolsi la tavola, e tornai immediatamente su di lei. Mi fissava ancora, e non aveva imbarazzo, scuotendo i miei sensi, entrandomi nel profondo. Veloce percepii l'istinto salire dal basso, l'impulso di alzarmi e farla mia, lì davanti agli altri, senza paura né dubbi, senza cielo né terra, senza il mondo o Dio, perché non ero da altra parte se non da lei.

Riuscii a fermare quell'impeto alla gola, a sopprimerlo con un tremito, abbassai lo sguardo. Una profonda tristezza mi avvilì. Non mi sentivo più un animale; avevo barattato i miei istinti per dubbi e domande, per esercitare la ragione, per contraffare la mia natura. Solomon avrebbe detto che era un sentimento stupido, un amore fittizio, e a quello avevo pensato. Pensai anche a Dio, e alla maledizione di averlo trovato, e a Louise.

«Scrivi!».

Mi scossi nuovamente.

«Hector, faina, tre galline».
«Sì».
Alzai la testa, ancora mi fissava.
«Abita nel bosco a sud, vicino alla Roccia Sommersa».
Mi tremava la zampa, scrivevo tutto storto.
«Scambia sei sacchi di carote, fra due giorni, fatto?».
«Fatto».
La vecchia volpe mi tolse lesta la tavola e rilesse la voce dello scambio.
«Siete ricchi?», disse.
La faina di nome Hector sembrò non aver capito il termine.
«Se vi dessi quattro galline per dieci sacchi di carote?».
«Va bene».
Solomon si insospettì. Lo guardò come avrebbe fulminato un bandito. Mi ripassò la tavola.
«Facciamo così: ora vi do una sola gallina e voi mi portate tre sacchi di carote. Se me li portate vi do anche le altre, e manderò qualcuno a prendere i sacchi che restano».
Hector ci pensò su, rimase interdetto.
«Ci servono tre galline», bofonchiò.
«O così o niente. Affare fatto?».
Ero tornato a lei. Quando se ne accorse, mi ricambiò. Il suo sguardo insostenibile riprese a riempirmi, a sbiadire il mondo attorno a lei. I miei occhi mi pregavano di fuggire da un'altra parte, di farli ciechi o nasconderli, ma preferivo indugiare e sentirmi indifeso.

La vecchia volpe mi mandò a prendere una gallina, e in un attimo mi precipitai al pollaio. Afferrai la prima che capitava e fui subito di ritorno, cercando di zoppicare il meno possibile.

«Fra due giorni, tre sacchi di carote, intesi? Niente scherzi, perché vi troviamo», disse Solomon.

«Eccola qui».

Cedetti la gallina. Cercai di sentire il suo odore, ma era troppo lontana, e quello dell'altro era molto forte.

La vecchia volpe si era messa a squadrarli, non ancora convinta.

«Siete una famiglia?», chiese.

«Lei è mia sorella Anja».

«Di chi siete figli?».

«Nostro padre è Sasha il Grande».

La vecchia volpe rifletté.

«Mai sentito. Fra due giorni, tre sacchi di carote».

Anja.

Ricordo che non pensai ad altro, mentre la vedevo scendere la collina, immergersi fra gli alberi. E non pensai ad altro anche dopo, durante tutta la giornata. I dubbi si erano fatti da parte e avevano fatto chiarezza. Anja non era una cosa sciocca, un sentimento fittizio. Anja era qualcosa che volevo a tutti i costi.

Il mattino dopo Hector tornò senza di lei, accompagnato da un altro maschio. Portavano quattro pesanti sacchi di carote. La vecchia volpe li vide arrivare dalla finestra della cucina, mentre facevamo colazione.

«Te l'ho detto che sono dei banditi», disse.

Gli fece mettere i sacchi accanto alla porta della tana e verificò quello che contenevano. Mentre le due faine si riposavano mi mandò a prendere tre polli, dicendomi di scegliere quelli che non facevano uova. Quando tornai era arrivato anche Gioele, che adesso scrutava i forestieri senza dire nulla. Legai le zampe dei tre polli con un laccio, poi li passai a Solomon, mentre si dimenavano.

«Ci dovete ancora sei sacchi», disse con un colpo di tosse.

Indicò me e Gioele.

«Loro vengono con voi, così ne portano qui altri tre, vi sta bene?».

Le due faine dissero che andava bene. Mi emozionai, perché andavo da Anja. La vecchia volpe passò le galline a Gioele e lo ammonì con lo sguardo, il solito che aveva quando partivo con lui, e il cane fece un piccolo cenno con la testa. Poco dopo lasciavamo la collina.

Le due faine aprivano la strada, Gioele stava in mezzo, e io chiudevo la fila. I forestieri capirono presto che non potevo muovermi troppo veloce, così rallentarono il passo senza che gli fosse stato detto nulla. Non parlammo molto; lungo la strada era meglio fare silenzio, prestare attenzione ai pericoli, ma riuscii comunque a scoprire che l'altra faina si chiamava Biko. Erano più grandi di me, portavano addosso i segni di lotte e ferite, avevano uno sguardo più duro del mio. Fra di loro non si parlavano, anzi, sembrava non si piacessero; l'unico momento in cui li vidi d'accordo fu vicino ad un ruscello, dove ci eravamo fermati per bere. Ci vennero incontro e ci dissero che stavamo andando troppo lenti. Mi guardavano male, e io feci altrettanto.

«Lo porto io», disse Gioele.

Mi passò i polli, poi mi caricò sulla sua schiena. Le faine ci osservarono stupite. Mi vergognavo ad essere lassù, incapace di camminare, ma mi accorsi che i loro musi si erano fatti spaventati. Forse un grosso cane che si inchina per trasportarti non era cosa da tutti giorni, forse avevano pensato che io fossi il suo padrone, zoppo ma temibile. La vergogna mi passò in fretta, adesso ero più alto di loro.

La Roccia Sommersa era un macigno al centro di un piccolo stagno. Quando vi arrivammo, senza sapere dove stavamo andando, cominciai febbrilmente a cercare Anja con gli occhi. Se avvertivo un rumore mi giravo immediatamente sperando di vederla arrivare, meravigliosa, per portarci alla sua tana. Immaginavo di parlarle, di sentire il suo odore, di avvicinarmi a lei. Mi venne alla mente che non ce ne sarebbe stato il tempo. Gioele non mi avrebbe permesso di trattenermi, avremmo preso i sacchi e saremmo tornati indietro il prima possibile. Questo pensiero mi angosciò al punto che decisi di ingegnarmi. Allentai il laccio di uno dei polli tirandolo con i denti, senza farmi notare.

Le due faine ci condussero ai piedi di un grande albero, dove spuntava l'ingresso di una tana; ci fermammo poco distante, in uno spazio senza erba, vicino alle radici. Poco più in là notai un piccolo pollaio in costruzione, dove razzolava il primo pollo che gli avevamo lasciato.

Dalla tana uscì la faina più grossa che abbia mai visto, vecchia, con lo sguardo assonnato ma attento. Era Sasha il Grande.

«Hector, chi sono questi?», disse indicandoci. «E perché vanno in giro ingroppati?».

Ci fissava con stupore.

Hector lo salutò con un cenno del capo.

«Sono servi della volpe, papà. Hanno portato le galline».

Sasha annuì senza perderci di vista.

«Immagino vorranno le loro carote», disse. «Silas!», chiamò.

Dopo poco uscì un altro maschio, più o meno della stessa età di Hector, tutto spelacchiato. Sasha gli disse di prendere i sacchi e farsi aiutare. Hector entrò con lui e seguì anche Biko, che però fu subito fermato dalla grande faina, con un ringhio.

«Attento, giovane», gli disse.

Biko deglutì e tornò indietro, vicino a noi.

Dalla tana uscirono Hector, Silas, una femmina gravida e Anja, ognuno con un sacco di carote. Tutti notarono me e Gioele, anche lei, con sorpresa. Il mio cuore iniziò a battere più forte e rimasi immobile, drizzando le orecchie.

«Oggi ne porteremo via solo tre», disse Gioele. Mi fece scendere, chinandosi.

«Come volete», rispose Sasha.

Anja mi guardò avvicinarmi a Hector, con i polli nella zampa. Anche lei aveva il muso carico di sonno, ma mi sembrò ancora più bella, disegnata da Dio in persona, stretta attorno all'altra femmina.

Passai i polli nelle mani del fratello, ed ecco attuarsi il mio espediente. Appena allentai la presa sulle loro zampe, uno dei polli si liberò di scatto e cadde a terra; subito dopo svolazzarono via anche gli altri due, mettendosi a correre in direzioni differenti. Hector si lanciò rapido all'inseguimento del primo, Gioele rincorse il secondo e Biko il terzo, alzando un gran polverone. I polli si lanciarono nel bosco, e gli altri dietro. Mi ritrovai solo con Sasha e la sua famiglia.

«Hai fatto tu il nodo ai polli, zoppo?», chiese.

«Sì, signore».

Mi diede le spalle, verso la tana.

«Un lavoro di merda», disse.

Vidi che anche le femmine si avviavano a rientrare. Silas invece rimase fermo dov'era.

«Aspetta!», urlai.

La grande faina si fermò e così anche le altre. Anja si era girata verso di me. Mi prese un brivido di eccitazione e coraggio.

«Tua figlia», dissi. «La voglio».

Sasha il Grande rimase incredulo per qualche attimo, poi scoppiò a ridere.

«Vuoi mia figlia, zoppo? Quale?».

«Anja».

La grande faina sghignazzò.

«Allora mettiti in fila, ma non penso arriverai all'autunno».

Anja abbassò lo sguardo ed entrò nella tana, e così fece anche l'altra. Sasha il Grande grugnì e le raggiunse. Rimasi spiazzato, senza sapere cosa dire. Silas se ne accorse e decise di togliermi l'imbarazzo.

Mi raccontò che Sasha era rimasto solo e con quattro figli. La secondogenita, Tess, era morta due estati prima; era stata contesa da molti pretendenti e alla fine l'avevano uccisa. La stessa cosa stava succedendo con Anja. Con la stagione degli amori era arrivato Fedor, poi un giovane di nome Derry. Derry aveva ucciso Fedor nel bosco, poi si era messo a rubare carote all'uomo, per offrirle come dono.

Era arrivato Biko, che aveva messo in fuga Derry, poi aveva proposto di comprare delle galline e costruire un pollaio. Sasha aveva già visto quella scena, e aveva deciso di proteggere la figlia fino all'autunno. Chi la voleva doveva sapere aspettare e non avere altri rivali, doveva chiederla senza l'istinto della stagione. Hector aiutava il padre in questa cosa, era rimasto solo per lei. Silas invece era il compagno della terzogenita, Dana, che adesso era incinta. Sarebbero andati a vivere altrove una volta nati i cuccioli, passato il tumulto dell'estate. Era convinto che Derry si sarebbe rifatto vivo, come qualcun altro; Biko era più grande e più furbo, ma aveva ancora da lottare. Ad ogni modo erano i soliti banditi, infatuati della più bella femmina su cui avessero posato gli occhi.

Appresi quelle notizie con grande attenzione. Nel frattempo erano tornati gli altri, con i polli.

«Lascia perdere, se ci tieni alla pelle», concluse Silas.

Solo allora mi accorsi che Biko ci stava osservando. Aveva inteso qualcosa, e mi volse uno sguardo cattivo. Gioele mi passò un sacco di carote, il sole era già alto nel cielo.

«Muoviamoci», disse.

Non avevo mai sentito di un simile comportamento. Nessun maschio si sarebbe prodigato così a lungo per la sua prole. La paura di perdere un'altra delle figlie lo aveva reso folle, ma incredibilmente astuto.

Se volevi una delle sue bambine dovevi dimostrarlo sul serio, anche a te stesso. Trovai quell'idea di una tale giustezza, da avere poco a che fare con il mondo in cui vivevamo.

Tornammo da Solomon verso sera. Portare il sacco era stata una gran fatica, ma non incontrammo problemi durante il tragitto. La vecchia volpe si era addormentata in cucina, sulla sua sedia. Sopra il tavolo c'era qualcosa che faceva rumore, un sasso di fiume levigato, con delle incisioni che conoscevo. Era un oggetto dell'uomo. Non lo avevo mai visto; forse gli era stato dato quel giorno, come pagamento per qualcosa. Emetteva un rumore continuo e rassicurante, un ticchettio. Mi accorsi che alcune incisioni erano in realtà dei bastoncini, e questi bastoncini si muovevano, giravano.

«Mettilo giù», rantolò la vecchia volpe, che si era svegliata.

«Che cos'è?».

«Una brutta roba».
«In che senso?».
«Fa il conto di quanto ti manca a schiattare. È orribile».
Guardai l'oggetto, affascinato. Mi inquietava, ma aveva aperto in me una nuova percezione: quello che stavo pensando in quel momento, attraverso il suo ticchettio, mi sembrò prezioso.
«È dell'uomo?», chiesi.
«È di qualcuno che non ha paura», disse. «Ora fammi un favore, vai al torrente e buttacelo dentro, così non lo sento più».
Tossì forte.
«Poi torna qui, che scriviamo».
Non lo buttai. Ne ebbi l'istinto, ma mi trattenni. C'era qualcosa che stava misurando, prima della mia morte. Era l'arrivo dell'autunno, era Anja.

Il giorno dopo tornammo alla tana di Sasha il Grande per prendere gli ultimi tre sacchi. Nonostante avessi scritto quasi tutta la notte, non mi sentivo affatto stanco. Al di là delle fantasie che Solomon mi dettava, le avventure che leggevo avevano il potere di animarmi, e nella mia testa vivevo le mie, aspettavo di rivederla.
Arrivammo nel tardo pomeriggio. Sotto il grande albero non c'era nessuno, dormivano ancora. Silas sbucò da un cespuglio con un topo in bocca, e ci notò con uno spavento. Gioele gli disse perché eravamo venuti.
«Sono nascosti qui dietro, venite», ci disse.

Il cane lo seguì, ma io rimasi dov'ero. L'entrata della tana era buia, non vedevo nessuno. Senza pormi troppe domande presi un sasso e lo lanciai dentro, poi mi nascosi dietro una radice. Subito uscì fuori Hector, allerta, con le orecchie tese. A quel punto Gioele stava tornando con Silas, e lui li vide. Scambiarono poche parole, ed ecco che dietro il fratello, vidi spuntare il muso di Anja. Con lo sguardo aveva visto Gioele, ma si era messa subito a cercare qualcos'altro, me. Un brivido mi percorse da cima a fondo.

Uscii dal mio nascondiglio e lei mi notò prima degli altri. Presi il sasso levigato di Solomon, che avevo tenuto con me, e glielo feci vedere. Lo poggiai sopra la radice, poi raggiunsi Gioele, che mi passò un sacco di carote. Ce ne andammo senza essere salutati, in silenzio. Mi girai quattro volte.

«Sasha il Grande Idiota», aveva detto la vecchia volpe. «Quattro polli che non fanno uova, dieci sacchi pieni di carote».

Rise, poi si mise a tossire.

«Dio ce li fa tutti scemi. Grazie, Dio», rantolò.

Quel giorno demmo carote un po' a tutti, a caro prezzo, e ne piantai alcune con gli scarti di quelle che avevamo mangiato. Ricordo che non feci altro che pensare a come prendere Anja, scacciare via Biko, o Derry, o chicchessia. Mi sentivo forte, ma non così forte da combattere un vero bandito, e poi ero zoppo. Una parte di me sapeva che dovevo lasciare perdere, l'altra invece sperava, sognava ad occhi aperti, mi trascinava a sé come la peggiore delle tentazioni.

Ripensavo a Louise, e non mi era difficile notare una certa somiglianza con quello che stavo vivendo adesso. Mi chiedevo perché andare avanti, perché dare a Dio la possibilità di farmi ancora del male. Andavo avanti lo stesso.

Passarono due giorni. Nel cuore della notte, fui svegliato di soprassalto. C'era qualcuno alla mia finestra. Mi avvicinai con cautela, facendo luce con un lumino. La grande testa di Gioele mi stava osservando.

«Ti cercano», disse.

Strabuzzai gli occhi.

«Chi?».

«Vieni fuori».

Uscii senza fare rumore. Il cane mi aspettava poco distante, poi mi accompagnò giù per la collina.

«Chi mi cerca, Gioele?», chiesi di nuovo; stavo cominciando a preoccuparmi.

Il cane si fermò.

«Lui».

Indicò un punto fra gli alberi. Lì mi accorsi che spuntava la testa di una faina. Lo riconobbi, era Hector.

«Cosa vuole?», chiesi, ma il cane stava già tornando indietro. La paura mi abbandonò poco a poco. Se Gioele mi lasciava solo, significava che non correvo pericoli. Un formicolio d'eccitazione mi corse sulla coda, andai incontro al mio visitatore.

Hector mi guardava con severità; quando gli fui vicino non mi salutò, ma disse solo di seguirlo. Percorremmo un breve tratto fra gli alberi, poi anche lui si fermò. Mi aveva portato in un piccolo spazio fra tre betulle. Lì, ad aspettarci, c'era Anja. Trattenni il fiato, smisi di muovermi come davanti a un animale feroce. Hector ci lasciò soli.

Lei mi venne incontro, a un palmo dal naso. Il suo odore era lieve, aguzzo e pulito, come di erba appena tagliata. Sentii le zampe molli, la testa girare, per un attimo. Il suo sguardo mi bloccava dov'ero, mi entrava sottopelle, senza che riuscissi a nascondergli niente.

«Che cos'è?», disse.

Mi fece vedere il sasso levigato. Il suo ticchettio riempì le mie orecchie assieme alla sua voce. Era calda e sottile, dolce e indecisa. Guardai il sasso, riacquistai un senso di realtà.

«Appartiene all'uomo», dissi. «Misura il prima e il dopo».

I suoi occhi tornarono su di me. Capii che il sasso non c'entrava nulla con quella visita.

«Il prima e il dopo?», chiese.

«L'uomo lo chiama *il tempo*».

Mi trattenni; non volevo rivelarle il suo vero utilizzo.

«L'arrivo dell'autunno», dissi.

Lei sorrise, e i suoi occhi con lei.

«Qual è il tuo nome?».

«Archy».

Sospirò, si fece ancora più vicino. Il cuore mi spingeva in avanti, ma le zampe non si muovevano. Affondò il muso nel mio collo, poi spinse dolcemente e si infilò fra le mie zampe. A quel punto l'istinto mi vinse, e la cinsi a me. Ebbe un attimo di esitazione, vidi le sue pupille traballare; con un grande respiro premette il suo ventre al mio, poi si lasciò prendere. I nostri istinti si incastrarono alla perfezione, ballavano la stessa danza; il tempo si fece piccolo e il mondo si nascose, persi me stesso in lei, e lei altrettanto. Quando arrivò la quiete, ancora avvinghiati, mi volse uno sguardo impaurito.

«L'arrivo dell'autunno. Ti prego», disse.

Si alzò e corse via. Mi alzai anch'io, ma la vidi già lontana, andarsene con il fratello. Un rumore mi scosse.

Era il ticchettio del sasso, poco distante. Lo aveva lasciato di nuovo a me.

Solomon si era svegliato per farmi scrivere, ma non mi aveva trovato. Lo vidi sul tavolo della cucina intento a leggere una pagina stropicciata, con sguardo cupo. Doveva aver frugato fra le mie cose, in cerca di un indizio su dove fossi finito. Riconobbi subito quel foglio, era l'ultima pagina del mio scritto, quello in cui parlavo di Louise. Alzò lo sguardo a me, sconvolto, rabbioso.

«Ho avuto il cuore d'insegnarti la verità sul mondo, e questo è quello che ne fai?», sibilò.

«Solomon», mi riuscì di dire.

Mi lanciò addosso un piatto, mi si spaccò sul muso, sentì bruciare la carne. Ora si era alzato.

«*Dio è crudele e meschino*!?», citò. «*Mi ha maledetto e lo detesto*!?».

Volò un altro piatto, ma lo schivai.
«Piccolo bastardo pelo di culo!», tuonò. «Non puoi nemmeno nominarlo il suo nome, animale merdoso!».
Il pelo gli si era tutto rizzato, strappò il foglio, ne fece tanti pezzettini.
«Se Dio ha voluto morta quella tua sorella è perché non fregava niente a nessuno, ci si pulisce il culo coi tuoi amori, imbecille!».
Ribaltò il tavolo, ci fu un gran fracasso. Gioele questa volta non scese.
«Vuoi sapere chi è veramente maledetto?», continuò. «Io sono maledetto! Che ti ho permesso di insozzare il suo nome con la merda che hai in testa!».
Gli venne la tosse, fortissima. Lo guardai ingobbirsi dai sussulti, cercare di riprendere fiato, barcollando fino alla sua sedia. A quel punto riuscì a calmarsi. La vecchia volpe si guardò la zampa, era coperta di sangue; un rivolo gli scendeva dalla bocca, facendo il filo. Spalancò gli occhi.
«Buon Dio», disse, poi stramazzò a terra.

XII
Come un animale

Ancora adesso trovo curioso quel susseguirsi di avvenimenti. Di come da una grande gioia passai alla tragedia in pochi attimi. Allora mi sembrò un dispetto di Dio, uno sgambetto alla mia felicità, ma ora sento di poter dire che fu invece la mia condizione ad essere fuori posto, l'unica anomalia in un disegno che mi era già davanti agli occhi.

Mandai Gioele a cercare un dottore, il più veloce che poteva. Trascinai la vecchia volpe fino alla sua camera, ancora svenuta; respirava male, la lingua gli usciva dalla bocca, colorata di sangue. Una forte inquietudine prese ogni parte di me, si sostituì al mio corpo. In qualche modo era come se fossi sparito dalla stanza, lasciando un'ombra tremolante, un piccolo rumore accanto al suo letto. Non feci altro che sedermi, senza pensare a niente, con la testa aggrappata a un filo di ragno. La luce della candela illuminava il suo muso imbronciato, talvolta cedendo al buio, rendendolo mostruoso, e io spalancavo gli occhi, e cercavo di ricordarmi com'era fatto. Aspettai momenti interminabili. Il cane tornò con il castoro, lo stesso che aveva portato per me. Era ancora più spaventato dell'altra volta, con il fiatone e il pelo arruffato, con l'alito di chi stava dormendo. Gli raccontai cos'era successo, e mentre spiegavo annuiva, lanciava occhiate alla vecchia volpe, ancora più agitato dal mio tono. Si sedette al suo fianco e cominciò a esaminarlo, cadde un silenzio insopportabile. Gli aprì la bocca, esaminò la lingua, ascoltò il suo respiro. Io e Gioele lo guardavamo, in attesa. I suoi tesori, gli oggetti dell'uomo che aveva raccolto per una vita, erano sparsi per la stanza. Non ci avrebbe mai permesso di stare lì, si sarebbe arrabbiato molto. È un pensiero che attraversò entrambi, perché il cane uscì dopo poco, e si mise ad aspettare fuori. Il castoro si alzò dalla sedia e mi venne incontro. Il suo sguardo non mi era piaciuto e mi feci ancora più agitato, mi si torse lo stomaco. Uscimmo dalla stanza, a quel punto ci guardò entrambi.

«Io non so cos'ha», disse con un filo di voce.

Si ingobbì, come per difendersi da un attacco, prese fiato. «Ma sta morendo».

Rimanemmo immobili, tutti e tre. Gli occhi del dottore saltarono rapidamente su entrambi, cercando di capire le nostre intenzioni. Fu un momento molto lungo. La sensazione di sparire si fece più forte, la paura diventò certezza, e in un certo senso mi calmò. Gioele fu il primo a muoversi, e raggiunse lentamente la finestra, per fermarsi di nuovo. Quel silenzio orribile colpì il dottore.

«Io non so cos'ha», disse di nuovo, ma nessuno gli rispose. Né a parole, né con un gesto.

Il sole stava nascendo dietro gli alberi, colorava il cielo d'azzurro. A quel punto sentii la vecchia volpe tossire, rantolare debolmente. Mi precipitai nella sua stanza, e vidi che aveva gli occhi aperti, e mi guardava.

«Ho sete», disse.

Non era lucido, tentava di leccarsi il naso, e non aveva alzato la testa dal letto. Gli portai dell'acqua e sembrò riprendersi un poco. Notò il mio muso.

«Cos'è successo?», gracchiò.

Feci un lungo respiro.

«Ti sei ammalato, Solomon».

Non mi tolse gli occhi di dosso. Capì subito.

«Prendi da scrivere», disse.

«Così sia. Dio mi richiama a sé».

La vecchia volpe abbozzava dei sorrisi. Non riusciva più a dettare, così dovetti scrivere da solo, rimodellando le frasi a voce alta, e lui mi faceva cenno se andavano bene. Lo vedevo sereno, e ciò mi diede la forza di concentrarmi, anche se continuavo a sentirmi piccolo e inutile.

«Mi porterà in Paradiso, con i suoi figli, come un uomo».

Prima di parlare tirava dei respiri profondi, e io mi interrompevo per ascoltarlo. Credo si rivolgesse più a se stesso che a me. Era un modo per farsi forza.

«Dio è con me, Dio è dalla mia parte».

«Certo», gli rispondevo, poi mi rimettevo a scrivere. Non avevamo permesso al dottore di andare via, ma nemmeno ce lo aveva chiesto. Forse per paura, era rimasto seduto all'ingresso, poi si era spostato in cucina a preparare qualcosa da dare alla volpe, per il dolore.

«Morirai anche tu», gli aveva detto Solomon, acido.

Vidi un brivido corrergli sulla schiena, ma non colse appieno il significato di quelle parole. Gioele non si era mosso dalla finestra, né aveva toccato cibo; guardava lontano, senza dare l'impressione di cercare alcunché.

«Non odiarlo», mi disse a un certo punto.

Poggiai la penna.

«Chi odio?».

«Hai scritto che odi Dio, perché è morta tua sorella».

Mi sforzai di fargli un sorriso.

«Erano sciocchezze, Solomon».

Fu preso da uno spasmo. Girò il muso verso la luce della finestra.

«Ho amato anch'io, cosa credi. Ogni mio affetto mi ha portato soltanto disgrazie, e confusione. Anche il più luminoso di tutti...».

Si interruppe. Lo vidi ricordare ardentemente.

«Quando si ama qualcuno, proviamo sempre il contrario per qualcun altro. Solo Dio si può amare in santa pace».

Annuii. Ripresi la penna.

La tana era scesa in un profondo silenzio, più forte dei rumori del bosco. Gioele aveva scacciato tutti i clienti che si erano avventurati per la collinetta, e nessuno si era più azzardato a varcare gli alberi. Quando Solomon si era addormentato ero andato in cucina. Mi sentivo più morto che vivo, in uno spazio sospeso; dentro quella stanza, l'unico corpo a respirare era quello della vecchia volpe, gigantesco e sereno, sopra il letto, che aspettava. L'immagine di Anja fu l'unico piccolo sollievo.

Il dottore entrò in cucina, mi accorsi della sua presenza solo quando lo sentii muovere i piatti. Toccava il cibo con distacco, senza assaggiarlo.

«Hai famiglia?», mi venne da dirgli.

Lui sobbalzò, come si aspettasse di non dovermi parlare.

«Una compagna e due figli. Viviamo giù alle dighe».

Conoscevo quel posto, ci ero passato una volta con Gioele. Era un grosso torrente drenato dai castori.

«Saranno preoccupati».

«Oh, sì, eccome. Mi avete rapito nel cuore della notte».

Abbassò gli occhi, come per scusarsi.

«Questa è la più bella tana in cui io sia stato», disse.

Mi passò un piatto con due uova e qualche erbetta.

«Come ti chiami?», chiesi.

«Tuck».

Cominciai a mangiare. Lui mi guardava in silenzio, senza sedersi, masticando parole che non riusciva a sputare fuori.

«Puoi tornare, se vuoi», lo anticipai.

Il castoro fece un altro sobbalzo, poi si massaggiò nervosamente il pelo sulla testa.

«Oh, no, io...», balbettò. «In realtà vorrei restare ancora un po', voglio aiutarvi».

Parlò con un muso sincero, pieno di compassione. Rimasi stupito, senza sapere cosa rispondere, siccome la pietà è cosa rarissima in un animale. Lo fissai perplesso, poi lo sguardo mi cascò sul piatto che teneva nella zampa, più capiente, per Gioele. Il silenzio della tana mi entrò nelle orecchie; pensai a che aspetto avessi, se sembrassi morto o vivo.

«Fa' come vuoi», dissi.

Il castoro annuì e si avviò fuori dalla cucina, tornando ad essere un'ombra che si aggirava per la tana. Mi fu chiaro che per essere chiamati dottore bisogna sentire questa necessità, il prendersi cura degli altri. È un sentimento che non avevo mai provato, e mi sembrò una cosa stupida.

«Mi devi seppellire. Scava una grossa buca, poi mettimici dentro».

Solomon mi aveva interrotto dallo scrivere, dicendo che non ne aveva più voglia. Mi aveva fatto prendere la parola di Dio, per rileggere i passi del Paradiso e delle anime salve.

«Così fanno gli uomini, si seppelliscono», mormorava. «Il loro corpo alla terra, l'anima al cielo. Non voglio essere sbranato dal primo che passa».

Annuivo a qualsiasi cosa dicesse, anche quando si contraddiceva.

«Ti lascio tutti i miei tesori, seppelliscili con me».

Certi spasmi lo facevano contorcere, stringeva le zampe al petto, dove il respiro si strozzava. Sputava sangue e poi si leccava il naso, sporcandosi tutto. Gli davo l'acqua ma non beveva; avevamo smesso di portargli da mangiare.

«Rileggimelo ancora, ancora».

Quando sentiva della sua salvezza tirava profondi sospiri, chiudendo gli occhi, in un sonno apparente. Alla fine di certe frasi annuiva, forzando un sorriso, facendomi sentire meschino, attanagliato da una paura che non lo toccava.

Io ero un animale, non mi aspettava altro dopo la morte.

Gioele non toccava cibo e passava il tempo a fissare il vuoto, a muoversi per la collina senza una direzione. Aveva lo sguardo smarrito, a tratti severo, ma comunque blando, come se nella sua testa non ci fosse più nessuno.

Gli dissi che bisognava scavare una buca, e mi chiese dove, riprendendo il suo giro, senza aspettare. Non avevo pensato a un punto preciso, né Solomon aveva dato direttive. Salii in cima al masso, sopra la tana; Gioele faceva il giro della collina, al limitare degli alberi, fermandosi di tanto in tanto, guardandosi attorno; nel pollaio scorsi il dottore dare da mangiare alle galline, assorto. Il sole bruciava l'erba alta, immobile, senza un filo di vento. Osservai l'albero di mele lanciare ombra attorno a sé, carico di pomi ancora acerbi. Ricordai quando la vecchia volpe me li fece tirare giù tutti, legato al laccio, e come da una mela l'uomo sia stato maledetto da Dio. Decisi di scavare lì. Mi ci volle parecchio per fermare Gioele: sembrava non sentire la mia voce, e continuò ad ignorarmi finché non gli fui davanti al naso. Gli indicai il punto e si mise a scavare, con foga, fino al tramonto. Tentai di aiutarlo ma mi spinse via, mi ringhiò addosso, così rimasi soltanto a guardarlo. Il dottore ci portò da mangiare, ma lui non toccò nulla, continuò il suo sforzo a digiuno; quando gli dissi che poteva bastare, Gioele si pulì il naso dalla terra e riprese il suo giro. Aveva fatto una buca bella grossa, e profonda, dove l'ombra del melo si era andata a posare, con il sole che muore. Il castoro prese il suo piatto e tornò nella tana, io lo osservai vagare ancora qualche attimo, perduto, senza senno. Forse proteggeva la vecchia volpe, come aveva sempre fatto. La proteggeva dalla morte, che magari pensava sarebbe sbucata dagli alberi, come un estraneo, o un cliente indesiderato.

Quella notte Solomon mi fece andare avanti con il suo scritto, ma solo di qualche pagina. Non riusciva a prestarmi attenzione, a correggere le frasi che reinventavo al posto suo, e lo vidi farsi cupo.

«Va bene così», rantolò, sforzando un sorriso. «Mi rimetto a te».

Mi passò la zampa. La strinsi e lo guardai negli occhi, due cerchi arrossati senza forza, gli stessi che una volta mi facevano bruciare, talmente erano vivi. Ancora scorsi un piccolo bagliore, un guizzo di lucidità che mi fece annuire, spaventato, come ad un suo ordine.

«Finiscilo per me. Mettici il tuo Amore», disse.

«Certo, Solomon».

«E brucia quello vecchio. Che non si sappia chi sono stato».

Esitai. Se ne accorse, e tentò di stringermi più forte la zampa. Il suo libro era la storia di una vita straordinaria, fatta di cattiveria, sangue, astuzie e inganni. Mi pianse il cuore a sentire quella sua volontà, era come dimenticare un pezzo di mondo. Era un racconto al quale mi ero affezionato, e che aveva colorato i miei sogni più della parola di Dio, perché parlava di noi.

«Fallo», disse la vecchia volpe con un sospiro. «Canta solo di un animale, e dei suoi stupidi intenti».

Gli dissi di sì. Solomon mi lasciò andare la zampa, si mise a guardare fuori dalla finestra.

«Com'è lunga questa notte. Sembra ci voglia con sé per sempre, miserabili, e sciocchi».

Non riuscivo a capire quello che diceva. Spesso gli uscivano parole storpiate, oppure frasi senza senso, destinate a nessuno; le pronunciava come fossero solenni verità. Uno spasmo lo scosse violentemente, vidi i suoi occhi spalancarsi, si fece agitato.

«Portami la scatola», ordinò.

La misi accanto a lui, aprendola come avevo visto fare. La piccola figurina uscì fuori, e quel suono armonioso si sparse per la stanza. Solomon chiuse gli occhi per qualche attimo, ma sentii che tratteneva il fiato. Fece una smorfia orribile, e all'improvviso quel suono gli divenne insopportabile, sembrò gli trafiggesse le orecchie.

Riaprì gli occhi, accelerando il respiro, digrignando i denti.

«Ho paura», disse.

Lanciava lo sguardo da tutte le parti, con una zampa mi afferrò il pelo, e tirò verso di sé.

«Ho paura», gridò, iniziando a piangere.

Mi ritrassi d'istinto e mi volse un muso disperato, come se lo stessi abbandonando. Tentò un'altra volta di afferrarmi, ma mi allontanai ancora di più. Non sapevo cosa fare, ero terrorizzato. Presi la parola di Dio e cercai di leggere un passo sul Paradiso, ma la volpe si mise a gridare, lanciò via la scatola, mi fece cascare il libro.

«No! No!».

Le lacrime gli scendevano dal muso, dalla bocca riprese a sputare sangue; con le zampe tentava di prendermi, così lo lasciai fare, e mi trascinò vicino a sé. Cominciai a piangere anch'io, per la sua stessa paura, per il dolore nei suoi occhi, perché non c'era più nessuna salvezza in quella stanza.

«Cosa devo fare? Cosa devo fare?», chiedevo, con la voce strozzata, e il moccio al naso.

«Non voglio morire, ti prego, non voglio morire!».

E piangeva più forte, e io con lui, perché nessuno di noi due poteva farci niente; anche se insieme, era rimasto solo.

Tossì forte, e buttò sangue, affondò il muso nel mio petto, come per nascondersi.

«Ti prego, ti prego».

Io ormai non dicevo più niente, piangevo e basta, tremavo.

«Ti prego».

Non chiedeva a Dio, diceva a me. Il suo nome non glielo sentii più ripetere.

«Non voglio, basta, non voglio!».

Staccò il muso dal mio petto, mi piantò addosso i suoi occhi infuocati, pieni di terrore e disperazione, che sopraffecero i miei. In quello sguardo c'era più vita che in un cucciolo; si dibatteva nelle pupille, illuminava le lacrime, si aggrappava a qualsiasi cosa pur di restare ancora un attimo, anche il più nullo o insignificante. Mi scaraventò dentro di sé con la forza di un temporale, afferrò ogni mio segreto, ogni emozione provata, senza trovare resistenza; mi prese e mi portò con lui, dove stava andando, in Paradiso, o da nessuna parte.

Poi ci separammo. Le pupille gli si fecero vuote, allentò la presa sul mio pelo, rallentò il suo respiro.

«Ti prego», disse ancora, e furono le sue ultime parole; ricadde a letto, leggero, si fermarono le lacrime. Il suo ventre ebbe un piccolo sussulto, poi si abbassò, senza più risalire.

Questi furono gli ultimi istanti di Solomon l'usuraio.

Alla fine, salvato o meno, non se n'era andato con un sorriso, non aveva pregato Dio, ma chi gli era accanto al letto, sperando di rialzarsi, come un animale. Forse è questo che la morte ci insegna, per chi sa del suo arrivo: quell'attimo più buio è un percorso solitario, nei meandri di se stessi, dove ogni cosa sparisce, e si tenta di riacciuffarla. È l'anima di questo mondo, la sua forza più grande; nessuno chiede di nascere, ma nemmeno di andare via.

Volgeva lo sguardo al soffitto. Nei suoi occhi, in fondo alla paura, scorgevo una calma bellissima. Era andato con Dio, ne sono sicuro, lo aspettava dall'altra parte. Mi sedetti sulla sedia e mi asciugai le lacrime, rimasi in silenzio, a lungo. La candela al suo fianco era ormai finita; il buio scendeva sul suo corpo, accompagnato da quella notte lunghissima. Raccolsi la parola di Dio e la misi a posto, e così anche la scatola, che non suonava più, anche se aperta. Un grido strozzato mi fece sobbalzare. Mi precipitai fuori dalla tana e vidi Gioele, poco distante, riversarsi su qualcuno. Quando lo raggiunsi sembrò volesse attaccare anche me, ma si trattenne quando mi riconobbe. Sotto di lui giaceva il corpo del castoro, con la gola recisa. Nella zampa stringeva un mazzo di erbe, che forse era corso a prendere quando aveva sentito la volpe gridare. Il cane l'aveva scambiato per un intruso.

Si muoveva ancora, ed ebbe la forza di lanciarmi un'occhiata. Con un gorgoglio, spalancando le palpebre, lasciò cadere le erbe dalla zampa, portandosela alla gola.

«Non servono più», gli dissi.

Poi mi rivolsi verso Gioele, con il muso insanguinato.

«È morto».

Il cane non mi rispose, riprese semplicemente il suo giro, lasciandoci soli. Con un altro gorgoglio, il castoro lasciò cadere la zampa, e poco dopo se ne andò anche lui.

Non mi riuscì di dargli alcuna attenzione. Rientrai nella tana e raggiunsi il mio letto. Non dormii, ma nemmeno pensai a niente. Aspettai che arrivasse il sole.

All'alba portai il corpo della volpe dentro la buca. Era tanto leggero da sembrare vuoto, e non dovetti sforzare la zampa. Gioele aveva fermato il suo giro. Ora stava seduto al limitare degli alberi, dandomi la schiena, guardando davanti a sé. Gli uccelli cantavano fortissimo.

Scelsi qualche tesoro da seppellire con lui, perché non c'era spazio per tutti; glieli misi intorno come nella sua stanza, dove lui era al centro, disteso, a guardare il cielo.

Tornai in cucina e trascrissi l'ultima parte del suo libro, senza sosta, cambiando quello che avrebbe voluto, riempiendolo di parole su Dio. Non mangiai, non toccai acqua. Lessi ogni pagina che aveva riempito, fino a quando non divennero bianche. Le sue ultime parole raccontavano del lavoro da usuraio e della collina. Sapeva di essere vecchio, che le avventure erano finite, e che sarebbe morto lì. Associare la sua scomparsa a un luogo era ciò che lo tormentava di più; gli era vicina nei sogni e nei pensieri, lo aspettava in ogni stanza, dietro la porta, accorciava l'orizzonte quando lo guardava. Parlava della sua vita da uomo e del Paradiso, poi si dannava di avere un destino così orribile, e ne chiedeva un altro po' subito dopo. Ci fu un momento in cui credetti di morire anch'io. Forse per la stanchezza, avvertii il cuore fare un grosso sobbalzo, arrivare a pulsarmi dietro gli occhi. Lasciai la penna e mi premetti il petto, ingobbendomi. Un leggero terrore s'insinuò fra le mie orecchie e mi preparai ad affrontare quello che avevo appena visto la notte scorsa. Una volta pensata questa cosa, il malessere se n'era già andato. L'unica cosa che mi rimase, fu la certezza che il mio ultimo momento non sarebbe stato diverso. Avrei urlato anch'io, avrei pianto, pregato chiunque ci fosse da pregare, perfino Dio. Stranamente non mi disperai; d'altronde non aveva senso, non in quel momento. Ripresi a scrivere.

Finii verso sera, raccolsi il libro nuovo e uscii fuori. Gioele non si era spostato. Un uccello aveva cavato un occhio alla volpe, e scappò via appena mi vide, portandoselo dietro. Avesse saputo di chi era quell'occhio, del bandito più furbo che si fosse mai visto da quelle parti, forse non lo avrebbe mangiato. Il corpo di Solomon stava lì, orbo, sdraiato verso il cielo. Gli misi il suo libro fra le zampe.

Chiamai Gioele tre volte, alla fine lo vidi girarsi. Urlai che bisognava spostare la terra. Il grande cane nero mi raggiunse, e quando vide la volpe si arrestò, come impietrito. Iniziai a seppellirlo, dopo poco cominciò anche lui. Il muso di Solomon scompariva sotto il terreno, era l'ultima volta che lo vedevo. Così credo pensasse anche Gioele. Mi aveva insegnato a leggere, a scrivere, a lavorare sodo. Mi aveva aperto gli occhi sul mondo e sulla nostra esistenza, dolorosa ed effimera. Mi aveva insegnato ad adorare un Dio che non ci avrebbe salvato, ma che avrebbe salvato lui dal suo più grande terrore, sparire, come stava facendo adesso, come avremmo fatto tutti.

Salutai un'ultima volta il mio maestro, senza parole; lo riprendeva la terra assieme alle sue cose, con il suo nuovo libro in una zampa, e la parola di Dio nell'altra.

XIII
Le parole scomparse

Nei giorni che seguirono, non feci altro che svolgere le mie regolari mansioni. Portavo l'acqua alla grande conca in cucina, davo da mangiare alle galline, tagliai l'erba troppo cresciuta. Il corpo del dottore, ucciso dalla sua stessa compassione, lo abbandonai fra gli alberi. Mi dispiacque per i suoi due figli, e la compagna, che lasciava soli; ma d'altronde era stata una sua scelta, un suo preciso volere, e dunque non c'era molto da dire. Gioele non si muoveva da sotto il melo. La stanchezza l'aveva fatto sdraiare, e continuava a fissare il vuoto, accanto alla fossa della volpe. Quando capii che si stava lasciando morire cercai di forzarlo a mangiare, ma era ancora forte, e rischiai la gola. La collina era sprofondata in un cupo torpore, come se il sole la toccasse meno. Un coniglio si arrischiò a salire fino alla tana e chiese uno scambio, ma gli dissi che non se ne facevano più, che la volpe era morta. I clienti sparirono.

Non nutrivo alcun interesse nell'avere più del necessario, non provavo gioia ad essere coperto di cibo, o di cose dell'uomo. I tesori mi piacevano perché piacevano a Solomon, e capii quanto quella volpe mi avesse legato a sé, quanto le fossi affezionato. Un profondo senso di inutilità mi aveva tolto la forza dal corpo. Rimasi una notte intera in cucina, a guardare la sua sedia vuota, a piangere e maledire Dio, con il suo vecchio libro davanti.

Fu quando arrivai al mio letto che sentii quel suono regolare. Era il piccolo sussurro, lo strumento dell'uomo. Non lo ignorai come le altre volte, quando mi abbandonavo a un sonno amaro. Mi chiamò con il suo ticchettio. Anja risalì dal torpore dei miei pensieri, si divincolò alla morsa della tristezza, brillava come una stella. La vedevo aspettarmi alla Roccia Sommersa, bella come era, all'inizio dell'autunno. Pensai al nostro incontro fra gli alberi, e di come mi avesse guardato prima di unirci, e avevo promesso che sarei tornato per lei.

Aprii gli occhi e mi alzai. Fu quello a ridarmi la vita, il desiderio per continuare a muovermi. Mi chiesi quanto mancasse all'arrivo dell'autunno. Mi chiesi anche se a Biko non fosse succeduto un altro pretendente, se non fosse tornato Derry, o qualche maschio forte e risoluto. Avrei dovuto lottare, rischiare la pelle, ma non avevo paura. Il buio si ritirò dalla stanza, il sole fece capolino. Sentii il mio cuore battere più forte.

Finii di raccogliere l'uva, poi presi le uova dal pollaio e preparai un buon pasto per Gioele. Il cane era ancora sdraiato accanto alla fossa, e si accorse di me soltanto quando gli fui molto vicino.

«Mangia, o morirai», gli dissi.

Non rispose, né diede l'impressione di avermi sentito; lasciai il piatto e tornai dentro. Il sole lo avvolgeva impietoso, lo osservavo dalla finestra della cucina. Era una chiazza di colore sparsa per terra. Aveva bisogno di una ragione di vita che sostituisse Solomon, e gli desse la forza di andare avanti.

La notte presi una ciotola d'acqua, la mescolai con il succo d'uva, e uscii. Gli arrivai da dietro il più silenziosamente possibile. Lui dormiva. Con uno scatto gli afferrai la testa e la tirai a me; versai subito la ciotola dentro la sua bocca. Tossì, ma mandò giù qualcosa. Prima che potesse girarsi e mordermi lo avevo già lasciato, scappando di qualche passo. Gioele si alzò, mi riconobbe ma non mi inseguì: diede qualche colpo di tosse, poi si sedette. Tornai in cucina e lo spiai dalla finestra. Non vomitò, e questo mi fece piacere, perché avevo guadagnato un po' di tempo.

Non tentai più una cosa del genere. Si era messo all'erta, e teneva le orecchie sempre dritte. Continuavo a dargli da mangiare posando il piatto un poco più distante, appena cominciava a ringhiare, recuperandolo pieno. Nel mentre lavoravo con zelo. Mi sforzavo di fare più del dovuto; portavo l'acqua alla cucina facendo un giro più lungo, e cominciai in anticipo a raccogliere legna per l'inverno. Pensavo che faticando il mio corpo diventasse più forte, così da poter combattere per Anja. Gioele mi seguiva con lo sguardo, e immaginavo si chiedesse cosa stessi facendo, se non stessi tramando qualcos'altro. Le mosche gli si posavano sulle piaghe del naso, spaccate dal caldo. Quando gli facevano male scuoteva la testa, ma non le mandava via per davvero.

Il piccolo sussurro picchiettava allegramente sopra il tavolo della cucina. Leggevo il libro della volpe, di come fosse agile da giovane, capace di difendersi pur non essendo molto forte. Aveva combattuto con animali più grossi di lui senza essere ferito, li aveva uccisi con l'astuzia o con l'inganno. Quando era in svantaggio trovava una strada, aveva un'intuizione, come se qualcuno gliela sussurrasse all'orecchio. Anche io aspettavo di sentirla, e intanto stringevo il piccolo sussurro nella zampa. Per un attimo lo vidi comparire sulla sua sedia vicino al camino, avvolto nella coperta. Mi guardava, cercandomi dentro.

«*L'amore è per gli stupidi*», disse.

Feci un lungo sospiro, posai il piccolo sussurro e chiusi il libro. Prima, però, mi cadde l'occhio sulla pagina iniziale. In basso, a lato, c'erano le prime parole che la volpe aveva mai scritto, copiate malamente dalla parola di Dio, intrise del suo sangue. Avevo letto quella frase innumerevoli volte, e anche quel giorno mi scosse.

Dio disse: «Sia la luce!». E luce fu.

«Non hai paura di morire, Gioele?», urlai.

Risalivo la collina con quattro secchi d'acqua, osservandolo stare fermo al suo solito posto. A metà strada la zampa mi diede una forte fitta e stramazzai a terra. Stavo portando troppo peso, avevo esagerato. Mi rialzai, guardai i secchi rovesciati. Caddi di nuovo appena provai a raccoglierli. Il grande cane nero teneva gli occhi chiusi, respirando con la bocca aperta. Anche io respiravo così, il dolore mi aveva tolto il fiato.

Era sempre bello. Il suo sguardo mi sorpassò in fretta, verso il cielo e gli alberi, ignorando le mosche. Non aveva paura, e lo invidiai in mezzo all'erba, dov'ero disteso, più in basso di lui. Poi mi sentii molto solo.

La zampa mi faceva male, così uscii soltanto per portare da mangiare alle galline. Era difficile che uno zoppo potesse vincere contro un maschio sano, e il pensiero cominciò a tormentarmi. Le ombre della cucina diventavano faine col pelo ritto, il muso di Biko mi appariva riflesso nell'acqua della ciotola. Il piccolo sussurro mi rendeva insonne, e iniziai a credere che, invece dell'autunno, adesso stesse canzonando la vita di Gioele. Scivolava dalle sue zampe senza che io riuscissi a trattenerla, e non volevo. Non poteva morire solo perché lo aveva scelto, era un dispetto che non dovevano farmi, né lui, né Dio.

Lo stare fermo mi rendeva agitato. La tana parlava ancora di Solomon, continuava a darmi l'impressione che fosse solo uscito a guardare il tramonto. La tavola con la lista dei clienti era al solito posto, con la penna di lato, sopra i sacchi di provviste, la sua coperta giaceva in un angolo dell'entrata. Gli odori erano gli stessi, ed ogni stanza mi costringeva a piccoli sogni, dove osservavo ripetersi momenti già vissuti. Lo stomaco mi si contorceva e il naso mi dava una leggera fitta, colpito da una zampa invisibile. Era una sensazione che mi soffocava, e decisi che la nostra tana sarebbe diventata la mia. Quando arrivai alla sua stanza, mi bloccai all'entrata. Per un attimo fui spaventato che potesse scoprirmi fra le sue cose.

«Esci da qui, pelo di culo!», mi parve di sentirlo dire. Toccare i suoi tesori non fu facile: erano riluttanti alle mie zampe, pronti a rompersi, a gettarsi a terra, come se non riconoscessero il padrone. Forse ero io a non sentirmi degno di loro, ad avvertirli pesantissimi, fatti solo per le mani di un uomo. Pensai di buttarli via, ma non ne fui capace. Li accatastai in un angolo della stanza, seminascosti; oggetti cupi e figure incorniciate mi osservavano, ma non stavano aspettando me. Mi decisi a disfare il letto. Non sapeva più di lui, ma il suo sangue era ancora lì. Sotto il paglericcio dove poggiava la testa, c'erano mazzi di pagine. Erano sparse, ma mi accorsi, sfogliandole, che si trattava delle parti mancanti del suo vecchio libro. Mi sedetti sul letto e cominciai a leggere. Erano fatti di cui non mi aveva parlato. Sentii di non conoscerlo e mi girò la testa. Dovevano essere storie da dimenticare, che aveva nascosto a se stesso, e a Dio. Erano segreti. Solomon aveva incendiato un bosco, e aveva ucciso il suo unico amore.

Scriveva anche di aver abbandonato la sua compagnia di banditi quando aveva trovato Dio. Diceva di aver scoperto un tesoro, qualcosa che non fosse solamente il mangiare, e che un certo Gilles, uno dei vecchi compagni, aveva provato a sottrarglielo, mettendogli contro gli altri.

Vagò per due settimane, finché non avvicinò una cagna che viveva in una famiglia umana, con dei bambini. Si chiamava Ljuba, e aveva un cucciolo. Siccome i bambini imparavano a leggere e a scrivere, anche lei aveva appreso qualcosa, ma non si fidava della volpe. Solomon rapì il cucciolo nel cuore della notte, e costrinse la cagna a insegnargli, e a sapere cosa conteneva il suo tesoro. Per due mesi tenne il cucciolo nascosto, incontrando Ljuba in un altro luogo, ignorando i suoi guaiti, la richiesta continua di riavere il figlio indietro. La costringeva a seguire le lezioni dei bambini, ad imparare meglio, e poi passare tutto a lui. Al termine dei loro incontri le succhiava il latte dalle mammelle, sputandolo in una ciotola, per sfamare il piccolo. La volpe scriveva di non aver mai ricevuto tanto odio in uno sguardo.

Alla fine lo tenne con sé, scomparì appena fu capace di leggere e scrivere. Il piccolo gli ricordava il suo amore, quel cane che lo aveva accompagnato in una parte della sua vita. Lo chiamò Gioele.

Un brivido mi corse lungo la schiena e drizzai le orecchie. Continuai a leggere.

Solomon si era affezionato. Gli insegnò a muoversi nel bosco, a combattere, a fiutare gli odori. Si spostarono a lungo, convinto com'era che i suoi compagni lo stessero cercando. Era fuggito portando con sé qualcosa che era appartenuto anche a loro. Il cucciolo crebbe e diventò il grande cane nero che ora languiva a terra, accanto alla fossa del suo rapitore, legato a lui come la carne all'osso. D'altronde era stata questa la forza di Solomon; sebbene ci avesse trascinato a sé, aveva fatto di noi quello che siamo. Eravamo suoi, e lui era nostro. Capii la sofferenza di Gioele, e una piccola lacrima bagnò la pagina che stavo leggendo.

Le nostre vite sarebbero state diverse senza di lui, forse migliori; ma sono ancora convinto che dovessimo incontrarci, che l'abbia voluto Dio, il cane per un motivo, e io per un altro.

Tra le pagine trovai un pezzo in cui parlava di me. Diceva gli ricordavo l'uomo perché avevo uno sguardo che capiva. Diceva che ero il suo tesoro più prezioso, che ero come lui.

Rimasi in silenzio a lungo, con un piccolo sorriso sulla bocca. Dopo quelle frasi non aveva scritto altro, il suo libro era davvero finito.

Andai incontro a Gioele. In una zampa tenevo un piatto con del cibo, nell'altra le pagine. Ringhiò non appena mi avvicinai troppo, ma non scappai, posai il piatto.

«Non vieni da un nido di vespe», dissi.

Il cane ringhiò più forte, mi fece vedere i denti.

«Solomon ti ha mentito».

«Cosa vuoi dire?».

Finalmente sentii la sua voce. Gli mostrai le pagine.

«Queste sono parole. Appartengono alla carta e restano. Qui si racconta la tua vera storia, da dove vieni, e chi sei».

Gioele si alzò.

«Non sei nato da un nido di vespe. Hai una madre, e io so dov'è».

«Dimmelo», fece lui.

Gli indicai il piatto.

«Tu mangia».

Il cane mi scrutò per un lungo attimo, fiutando l'inganno. Nei suoi occhi ora scorgevo una luce di curiosità, un appiglio a quella vita che stava facendo scivolare via. Avanzò verso di me, e prontamente mi allontanai. Toccò il piatto, continuando a fissarmi.

«Dici il vero?», chiese.

«Sì. Vero quanto è vero Dio».

Tentennò. Io rimasi in silenzio. Prese la ciotola e la lanciò lontano, rischiando di cadere, poi tornò a sdraiarsi sotto il melo. Rientrai.

Mentre preparavo la cena sentii sbattere la porta della cucina. Lo vidi all'ingresso, attaccato allo stipite, la bocca aperta. Anche se rattrappito, la stanza era sempre troppo piccola per lui. Scappai dalla parte opposta, schiacciato alla parete. Gioele deglutì a fatica, poi arrancò al tavolo, si sedette. La testa gli cadeva sulle zampe e non riusciva a stare dritto. Non disse una parola.

«Vuoi mangiare?», chiesi.

Stancamente, con un cenno del capo, disse di sì.

Buttò giù senza desiderio. Lo vidi farsi scendere i bocconi in gola.

«Dimmi la storia», mormorò.

«Devi mangiare», gli dissi piano, abbassando le orecchie.

«Ho mangiato, dimmi la storia».

Aspettava un qualsiasi suono dalla mia bocca, sorreggendo la testa gigante con il corpo sfinito, lanciandomi occhi di tormento. Mi avvicinai alla finestra; se avesse tentato di aggredirmi, sarei scappato da lì. Il cane seguì i miei movimenti senza muoversi.

«Devi mangiare ancora, se vuoi sentirla», dissi.

Il silenzio che venne dopo irrigidì tutti i miei muscoli, ero pronto a saltare. Gioele si alzò e mi diede la schiena, caracollò fuori dalla cucina fino al melo, alla tomba del suo padrone.

Il giorno dopo arrivò per pranzo, poi a cena, e così anche nei giorni seguenti. Non mi chiese più niente. Mangiava e tornava all'albero. Mi piaceva la sua compagnia, anche se stavamo in silenzio, e non ci guardavamo. Mangiava veloce, e quando si alzava m'irrigidivo. Ci legava una storia, le parole che tenevo sotto la lingua. Sono sicuro che avrebbe preferito uccidermi, piuttosto che sedersi al tavolo con me. Non era più il cane con cui avevo viaggiato assieme. Viveva dietro una promessa. Aspettava che lo liberassi, boccone dopo boccone. Così la carne stava tornando ad abitargli le ossa, e il piccolo sussurro aveva ripreso a cantare l'inizio dell'autunno. Avevo vinto io, Dio non se l'era preso, e questo mi faceva stare meglio. La notte sognavo Anja. L'estate cominciava ad andarsene.

«Voglio mettermi d'accordo con te, Gioele».

Glielo dissi mentre stavamo cenando. Il cane mi scrutò. Era tornato robusto. Smise di masticare.

«Ho mangiato, dimmi la storia».

Fece scivolare il piatto in avanti, ancora mezzo pieno. Abbassai le orecchie.

«Non ancora».

Gioele tirò fuori i denti e inarcò la schiena. Trattenni la paura, mandando giù il boccone.

«Ho mangiato, dimmi la storia», ringhiò.
Raccolsi la voce.
«Prima voglio mettermi d'accordo con te», dissi.
«E se invece ti uccidessi?».
Ora mi stava puntando con tutto il corpo, pronto a scattare in avanti, a venirmi addosso. Cominciai a scivolare dalla sedia, lentamente.
«Se mi uccidi non saprai niente, un morto non parla. E non riusciresti comunque a leggerla», dissi.
Non rispose. Si era avvicinato. Il cuore mi usciva dal petto.
«Solomon non vorrebbe».
Gioele si fermò. Vidi i suoi occhi spegnersi, attraversarmi per andare lontano. Un brivido gli passò per il pelo. La sedia della volpe era al suo solito angolo, vicino al camino. Il cane mi guardò. Aveva ancora i denti di fuori, ma adesso il suo muso era una smorfia di dolore.
«Che cosa vuoi?», chiese.
«Un favore».

XIV
Il duello, l'addio

Quando le prime foglie cominciarono a cadere, partii verso la Roccia Sommersa: andavo di nuovo a cercare una femmina. Pensai a Louise. L'immagine di mia sorella sdraiata nella neve mi apparve ancora nitida, carica di dolore, una spina mai tolta. Mi dissi che sarebbe finita diversamente. Arrivai alla tana di Sasha il Grande nel tardo pomeriggio. Il pollaio era stato costruito ma non c'erano polli; forse quando avevano capito che quelle galline non facevano uova, le avevano mangiate. Dietro l'albero spuntò la sagoma di Hector. Mi scrutò severo.

«Sei arrivato», disse.

«L'ho promesso».

«Non l'avrei detto».

Era evidente che non nutriva nessuna stima per me, una faina piccola e zoppa, che si batteva per sua sorella. Chiunque avessi dovuto sfidare, era un maschio forte e in salute, pronto ad uccidere. Hector scese all'entrata e andò a chiamare suo padre. La mole di Sasha il Grande mi fu davanti poco dopo. Anja era con lui. Il muso di lei si illuminò, bellissimo. Poi si fece cupo.

«Sei tornato per mia figlia, zoppo?», chiese la vecchia faina.

«Sì».

Vidi lei irrigidirsi, spaventarsi per me. Sasha grugnì.

«Allora devi aspettare Biko, che è andato a caccia».

Dunque era rimasto lui, era riuscito a prevalere sugli altri. Si era dimostrato il più forte e il più determinato. Non so perché, ma pensai a Mathias; al suo muso quando entrai nella tana di mia madre, al mio posto, perfettamente a suo agio, dopo aver scacciato i miei fratelli. Fu un pensiero veloce, che mi diede rabbia. Aspettammo un po', finché il sole non minacciò di tramontare. Ne approfittai per riprendermi dal viaggio, mentre osservavo Sasha volgermi un brutto sorriso. Mangiava qualche acino d'uva.

«Le tue galline non facevano le uova», disse.

«Lo so».

La grande faina mi sputò addosso un seme.

«Se tu non stessi per morire, ti ammazzerei io stesso».

Non risposi. Guardai Anja sussurrare qualcosa a Hector.

Gli alberi erano immobili e si univano al nostro silenzio; ogni tanto cadeva una foglia, lottava con l'aria, poi si posava con un tonfo. Stavo seduto nello spiazzo senza erba, accanto alle radici affioranti, respirando piano. Anche Sasha si era seduto. Continuava a fissarmi con disgusto, tranquillo, assaggiando la mia paura. I suoi figli erano stretti l'uno all'altro, accanto a lui. Quella pace senza parole divorava il mio animo, attimo dopo attimo, pezzo dopo pezzo. Gli uccelli cantavano sottovoce.

Biko spuntò dagli alberi con un fagiano in bocca, e appena lo vidi balzai in piedi. Lui si fermò, mi riconobbe. Aveva il pelo ritto e il respiro veloce, i muscoli ancora tesi per la corsa; le cicatrici seguivano il movimento del suo petto, comparivano sul manto scuro per poi nascondersi. Stringeva il fagiano fra i denti, tenendolo per il collo spezzato, lasciandolo inerme e con le ali aperte. Il suo odore mi arrivò al naso e fremetti d'agitazione. Era forte e denso, copriva ogni altra cosa, come se anch'esso fosse un avversario da sconfiggere. Non indietreggiai. Leroy mi passò davanti agli occhi, con il corvo che aveva cacciato, e poi Mathias, con il ninnolo di mia madre. Fui preso da un grande sconforto, lo stesso che provavo quando dormivo accanto a mio fratello, che sembrava così grande. Poi arrivò la rabbia, di nuovo, a spingermi in avanti. Biko rimase interdetto e si girò verso Sasha.

«Questo giovane zoppo bugiardo schifoso ha intenzione di sfidarti», disse lui. «Fate le vostre cose in fretta».

Sebbene piena di disprezzo quella frase mi riempì di orgoglio. Ero un pretendente e la mia sfida andava raccolta, anche se ero debole e più piccolo di lui, anche se non facevo paura. Ora mi guardavo come un vero animale, con i denti e gli artigli.

Biko lasciò cadere il fagiano.

«Andiamo in un altro posto», gli dissi.

«Ah, no! Voglio vederti crepare qui, merdoso! Voglio la tua testa fra le zampe!», gridò Sasha.

A quell'urlo Biko si scosse.

«Vattene», sibilò. «Se ci tieni alla vita».

Io non mi mossi. Impedii alla paura di farmi tremare, la ricacciai in fondo allo stomaco.

«Andiamo in un altro posto», ripetei.

«Sì, allontanatevi», proruppe Anja, con sorpresa di tutti. «Io non voglio vedervi».

Sasha non disse nulla, guardò la figlia di sottecchi. Lei si era messa a fissare Biko, a pregarlo con gli occhi, e lo fece così intensamente da costringerlo a cedere. Il giovane maschio abbassò il capo, accennò una lieve riverenza, e poi si rivolse a me.

«Va bene, andiamo».

Sasha rise, e disse: «Addio».

«Addio», rispondemmo noi, entrambi sicuri di non appartenere a quel saluto.

Biko aprì la strada e io lo seguii fino alla Roccia Sommersa, davanti allo stagno. La luce del tramonto scivolava sull'acqua posandosi a riva. Una coppia di uccelli si alzò in volo dopo averci sentiti. C'era silenzio. Le ombre degli alberi si erano ritirate per farci vedere meglio, perché ci potessimo studiare. Biko era fermo. Durante il tragitto mi aveva dato la schiena, sicuro di sé, volgendomi un'occhiata di tanto in tanto, più stupito che preoccupato. Io faticavo a stargli dietro, la zampa mi dava delle fitte, ma non lo persi mai di vista.

Ora che eravamo muso a muso, davanti alla sponda dello stagno, quel suo stupore era cresciuto. Non si aspettava che l'avrei seguito fin laggiù, non avrebbe mai immaginato di avermi come ultimo avversario, lì, a fronteggiare la sua stazza, mentre il sole calava e le foglie cadevano. Nessuno dei due provava odio per l'altro, volevamo soltanto la stessa cosa, ed era giusto uccidersi per questo. Vidi nascere in lui un'espressione conosciuta. Placò il fuoco che aveva negli occhi, e sorprese il mio. Mi volse pietà.

«Vattene, salvati la vita», mi disse. «Ci sarà un'altra estate».

Allora io mi accesi. Vide i miei occhi avvampare, le mie zampe irrigidirsi e alzare il petto, le orecchie abbassarsi fino al pelo.

«L'estate è finita», risposi. «E non ne serviranno altre».

A questo punto lui fece altrettanto: abbassò le orecchie e cominciò a girarmi attorno. Non arretravo, non accennavo ad andarmene, anzi gli mostravo i denti, ma senza lanciarmi contro di lui. Biko mi si avvicinò sempre di più, continuando a girare, cambiando senso, cercando di disorientarmi. Non avevo paura, e questo lo confondeva. Quando incespicai, aprendogli un varco, mi fu addosso in un attimo. Lo sentii urlare di dolore, mentre il suo morso si allentava dal mio collo. Mi aveva fatto qualche buco, ma senza riuscire ad affondare. Mi staccai da lui e vidi il suo muso sorpreso, agonizzante, abbandonare la vita in pochi spasmi. Gioele si era lanciato dal suo nascondiglio dopo averci seguiti, e gli aveva spezzato il collo con un morso. Con un solo lamento, senza guardare nessuno, Biko morì. Mentre placavo il mio cuore, pensai che non ci fosse morte più dolce.

Vidi Hector uscire da un cespuglio, osservare quello che era successo. Gioele lo puntò e cominciò a ringhiare, ma lo fermai.

Hector mi fece un cenno con il capo, poi sparì tra le frasche. Tirandola con forza, il cane strappò la testa di Biko dal resto del corpo.

«Sasha ne ha chiesta una», disse.

Tornai con il trofeo e lo lasciai ai piedi della grande faina. Lui mi osservò con lo stesso terrore che si riserva a un lupo. Anja rimase impassibile.

«Bugiardo, è un inganno!», tuonò, e si tenne a distanza, limitandosi a lanciarmi uno sguardo truce.

«L'ho visto io», disse Hector, e non aggiunse nient'altro.

La testa di Biko continuava a sanguinare, la bocca aperta e la lingua di fuori. Anja ci passò davanti e si lanciò verso di me, e venne al mio fianco.

«Torna qui!», le ordinò suo padre, ma lei lo ignorò. Hector rimase fermo dov'era.

«Ce ne andiamo», dissi.

Sasha guardò a lungo la figlia, le entrò nell'animo, e capì che mi aveva già scelto. Il suo muso si fece sprezzante.

«Stupida. Portatela via, non me la fare più vedere. Fra tutti e due, avrete vita breve».

E con quelle parole ci diede la schiena, e si ritirò nella sua tana. Il sole aveva lasciato una lunga scia rossa, come la testa di Biko. Hector scese a dire addio alla sorella.

«Grazie», disse lei, e lui socchiuse gli occhi, chinò la testa toccando la sua. Con me invece tornò severo, scrutandomi da cima a fondo, per vedere se fossi proprio lì.

«Spero che quel cane ti protegga per sempre», disse.

Io annuii.

Gioele ci aspettava poco distante, caricò entrambi in groppa. Anja mi guardava come fossi il più bello dei focolari.

«Cos'è successo al tuo muso?».

Mi indicò un punto in cui non potevo vedermi. A lato del mio naso. C'era una crosta, lì non cresceva più il pelo. Era il piatto che mi aveva lanciato Solomon, prima di stare male. Non pensavo a lui da diversi giorni.

«Niente», le risposi. Lei si abbandonò al mio petto. Nella notte, tornavamo insieme. Avevo mantenuto la mia promessa, e mi sentivo vivo, di nuovo.

Anja rimase sveglia la notte, come tutte le faine. Mi chiese subito di Solomon, e le risposi che era morto, senza entrare nei dettagli. Le feci fare il giro della tana, poi la portai sopra il macigno di Gioele, e le dissi che fin dove arrivava l'erba era tutta roba nostra. Era molto felice, sorrideva con la bocca e con gli occhi. Non penso avesse idea di cosa fosse la ricchezza. Io invece me l'ero fatta, e sapevo di essere ricco. La volpe mi aveva lasciato tanto: non bisognava andare a caccia, non bisognava correre pericoli, né patire la sete o la fame. Avevo abbastanza da nutrire i miei figli, e i miei nipoti; sarei potuto diventare capostipite di una grande famiglia, riprendere a fare prestiti, insegnare a leggere e a scrivere. Su questo sogno mi coricai, chiedendo scusa alla mia compagna, perché io vivevo di giorno ed ero stanco. Mi addormentai subito, e fu il sonno più leggero che io ricordi.

Il mattino dopo Gioele mi aspettava accanto al melo: era arrivato il momento di rendergli il favore. Anja era ancora sveglia, e mi osservò prendere il libro di Solomon.

«Che cos'è?», chiese.

Mi venne da nasconderlo. Poi glielo feci vedere, senza aprirlo. Le sorrisi.

«Sono parole».

Non so come, comprese che non doveva fare altre domande. Con l'andare del giorni, scoprii che Anja sapeva sempre cosa mi passava per la testa. Non mi accompagnò da Gioele, intuì che volevo andarci da solo.

Lo raggiunsi. Sulla fossa di Solomon l'erba era già cominciata a crescere, e la terra era tornata solida. Il grande cane nero stava seduto, guardando in basso, in attesa. Aprii il libro e gli lessi la sua storia. Ascoltò in silenzio, senza mai alzare la testa. Quando finii l'ultima frase pareva dormisse, divorato dai suoi pensieri. Con uno scatto, che mi fece sobbalzare, mi lanciò un paio di occhi lucidi. Fu la prima e l'ultima volta in cui lo vidi piangere. Doveva essere la prima volta anche per lui, perché fece delle smorfie spaventose, strizzando gli occhi ad ogni lacrima.

«Dov'è questo posto?», mormorò.
Nel suo scritto la volpe non specificava nulla. Avevo già pensato a cosa dirgli nei giorni precedenti, prima di partire per la Roccia Sommersa. Non avrei voluto ingannarlo, ma era l'unico modo per farmi aiutare, per impedire che si lasciasse morire, e che mi uccidesse, se avesse scoperto che non lo sapevo.
«Solomon mi ha parlato di una tana ai piedi di una collina boscosa», dissi. «Ha detto che è oltre le montagne, dove tre fiumi si dividono».
Gli indicai le montagne più lontane. Il cane guardò, senza smettere di piangere.
«Non ha scritto altro, mi dispiace», conclusi.
Gioele si lasciò andare completamente, singhiozzò, abbassò la testa piano piano, fino a toccare terra con la fronte, nel punto in cui avevamo seppellito la volpe. Lo vidi premere forte, creare un solco, sporcarsi. Pianse tutte le sue lacrime in quell'unica volta. Poi si alzò, guardò le montagne e si mise in cammino, senza salutare.
Anja mi raggiunse mentre scompariva tra gli alberi.
«Se n'è andato?», disse.
«Sì».
«Sono state le parole?».
«Già».
Non lo vidi mai più.
Se ne andava cercando un posto che non esisteva, oltre delle montagne sbagliate, dove non c'erano tre fiumi che si dividevano. Avrebbe vagato per tutta la vita, appeso a una speranza fasulla, l'unica cosa

che lo faceva camminare, come un fantasma. Ho il terrore al pensiero che potrebbe essere ancora lì fuori, a cercare. Ho il terrore che possa aver capito di essere stato dannato a un'esistenza inutile, a vivere per agguantare il fumo. Ho il terrore di essere stato più crudele di Dio.

XV
Gli sciacalli

L'autunno portò le prime grandi piogge, rese gli odori pungenti, e colorò di rosso le chiome degli alberi. La terra era sempre bagnata e il ruscello si era ingrossato; il sole allungava le ombre del tardo pomeriggio. Osservavo le rondini volare lontano, cambiare direzione improvvisamente, dividersi, mentre cantavano il loro saluto. Pensai non fosse facile abitare una sola stagione. Anja imparò a dormire la notte e stare sveglia di giorno. Mentre lavoravo, lei badava alla tana e alla cucina. Dovetti insegnarle entrambe le cose. Era sempre stata sua madre ad occuparsi della famiglia; da quando era morta era toccato a sua sorella. Lei era la più piccola. Ma a comandare era suo padre, ogni cosa era legata al suo volere. Nessuno di loro aveva avuto una vita felice. Non potevano uscire, o allontanarsi, o ancora scegliere per sé. Mentre mi diceva queste cose spaccava maldestramente due uova nel piatto, si sforzava di seguire le indicazioni che le avevo dato, con buona volontà. Dentro quei bellissimi occhi non c'era spazio che per il mio riflesso. Mi amava dalle orecchie alla coda, e respirava ogni mio respiro. Colmava ogni gesto con questa emozione, e riempiva anche me. Il mio passato non la toccava; come un vero animale viveva il presente, e quel momento era il presente più bello che potesse vivere. Stavamo giornate intere stretti assieme, a sentire la pioggia che cadeva, e la prima aria fredda che passava dalla finestra. Lei era sempre in pace, salva da tutto, eternamente spinta verso il mio cuore. Che ogni tanto rallentava. Sono sicuro che non le sfuggisse.

«Perché sei venuta con tuo fratello quel giorno?», le chiesi una volta.

Eravamo di sera davanti al fuoco. Ci avevo pensato spesso. Se non avesse accompagnato Hector a chiedere le galline, non ci saremmo mai incontrati. Lei si sorprese di quella domanda. Evidentemente, questi pensieri fatti di *ma* e *se* nascevano soltanto nella mia testa. Non ho mai incontrato altri animali con questo fastidioso difetto. Ha a che fare con il Prima e il Dopo, e con Dio.

Era scappata, mi raccontò. Ogni tanto le riusciva di farlo. Seguiva Hector, e il fratello glielo permetteva. Quel giorno erano andati alla collina di Solomon.

«Sei sempre stato zoppo?», mi chiese, dopo avermi visto riflettere troppo a lungo.

Le volsi uno sguardo vuoto. Mi assalirono immagini vecchissime, e lontane, la vita di qualcun altro. Le dissi che da piccolo ero salito su un albero per cacciare un nido di uccelli. Un ramo si era spezzato e io ero caduto a terra. Smisi di parlare; Anja annuì e affondò il muso nel mio petto. Nella mia testa la storia continuava. Fissavo il fuoco e rivedevo mia madre, e Leroy, e Otis, Cara, Louise. Sentivo ancora quei primi odori, e i rumori, che facevano paura. Era tutto passato. Anja alzò la testa e mi vide piangere.

«Stai male?», chiese.

«No, sono solo stanco».

E lei non disse nient'altro. Tornò a scaldarmi il petto, le fiamme dondolavano alte prima di scomparire, e come loro anche il mio cuore, piano piano, si acquietò.

Anja era felice anche nel sonno.

Un giorno mi disse di essere incinta.

Mi capitò di vedere una famiglia di tassi fermarsi a valle. Di sicuro stavano cercando una tana, perché il maschio aveva sulla schiena un grande fagotto. Uscii e gli andai incontro, fermandomi a poca distanza. Quando mi videro arrivare, nascosero i piccoli dietro di loro, ma non scapparono.

«Andatevene!», gridai. «Questo è il mio territorio!».

Il maschio tentennò un istante.

«Chi sei, zoppo?», mi disse.

«Sono il padrone di questa collina. Via da qui!».

Lui si fece una gran risata. Allora mi avvicinai ancora, mostrandogli i denti, e quindi fu la femmina a parlare.

«Andiamo, su».

Il tasso si caricò il fagotto sulle spalle e mi lanciò un'occhiataccia.

«Attento, zoppo, che arriva l'inverno», sibilò.

Se ne andarono. Aveva ragione: l'autunno cedeva il passo al freddo, il bosco era di fretta, iniziava a sentire la fame; io invece non mi ricordavo neppure cosa fosse.

Un mattino trovai la vigna completamente divelta. Avevano strappato tutto, si erano portati via le piante, e non me n'ero nemmeno accorto. Venne la volta delle zucche, poco dopo; sparirono tutte in una notte, assieme a gran parte delle galline. Allora mi fu chiaro, si era sparsa la voce che Solomon era morto, e che non c'era più il grande cane nero a fare la guardia. La mia collina era diventata preda di banditi e vagabondi, in cerca di cibo prima che arrivasse la neve. Avrei dovuto aspettarmelo.

Solomon non aveva mai perso nulla, raccoglieva tutto prima del freddo, anche se nessuno si sarebbe azzardato a rubare. Sapeva in quali giorni le mele si sarebbero rammollite e quando andava preso il grano. Teneva conto di ogni cosa, anche della fame degli altri, motivo per cui non faceva mai allontanare troppo Gioele. Io ero rimasto a contemplare la mia collina senza fare niente, come se non fosse cambiato nulla. Forse era questa la differenza fra un uomo e un animale; io non avevo pensato, e adesso ne pagavo le conseguenze.

Cominciai a raccogliere gli ortaggi rimasti, spostando i polli nella mia stanza, dove dormivamo. Facevo il possibile, ma ogni volta che mi svegliavo vedevo che avevano rubato più di quanto fossi riuscito a prendere. Rubarono anche nella nostra tana, Anja era molto preoccupata. Le era cresciuta la pancia e si muoveva a fatica, si spostava soltanto dal letto alla cucina.

«Che cosa possiamo fare?», mi disse una sera, mentre eravamo a tavola.

Io le risposi con un sorriso, ingobbito dalla fatica, senza alcuna parola di conforto da poterle regalare. Il mio muso la agitò ancora di più. La mattina dopo mi svegliai e la vidi dalla finestra. Arrancava nel campo di zucche, rivoltando la terra per qualche avanzo dei banditi. Doveva essere uscita da un po'. Cadeva una pioggia leggera, ma lei era bagnata fradicia.

Uscii subito dalla tana. Quando mi vide sollevò la testa, nascondendo uno sguardo di delusione; nelle zampe stringeva solo radici, e tentò di regalarmi il mio stesso sorriso, come per imitarmi. La presi e la riportai a letto. Era così leggera che non rischiammo di cadere.

«Ti voglio aiutare», sussurrò.

«Ci penso io», risposi.

«Sei stanco».

Lo disse con grande apprensione. Feci un sospiro.

Lei mi cercò con gli occhi, per trattenermi, come se stessi scappando.

«Non ti mettere nei guai, ti prego».

Iniziai a fare la veglia di notte, ma non passava nessuno. Di giorno non riuscivo a dormire, controllavo le finestre, guardavo Anja coricata sul letto. Mi chiamava a sé, ma io non mi avvicinavo subito.

Certe volte era un'estranea. Mi chiedevo cosa ci facesse lì con me, perché mi avesse scelto, e non trovavo altra risposta se non l'amore. Questo mi faceva felice, ma provavo compassione per lei.

Biko l'avrebbe protetta meglio. Veniva da chissà dove e sapeva lottare, era forte e maturo. Sarebbe andato a caccia quando il cibo scarseggiava, avrebbe messo in fuga i banditi, sconfitto l'inverno. Con lui l'amore sarebbe bastato.

«Dormi stanotte, riposati».

«No, devono capire che qui ci siamo noi».

E continuavo a vegliare, sul macigno di Gioele, sotto le stelle e le nuvole.

«Smettila, ti ammalerai», mi disse una sera, mentre mangiavamo. Aveva le lacrime agli occhi, e mi teneva la zampa dolcemente.

«Finisci di raccogliere il necessario e non uscire più».

Il mio cuore stentò a riconoscerla. Volsi lo sguardo verso un angolo della stanza. Difendevo le mie cose. Non c'è nulla di più giusto per un animale, o un uomo. Lo dice Dio.

La sera dopo scorsi le sagome di tre bastardi. Si aggiravano attorno al melo, annusando l'aria. Mi si rizzò il pelo, mi alzai da tavola e uscii, ignorando le grida di Anja. Li vedevo puntare i musi a terra. Volevano prendere Solomon, e mi lanciai fuori.

«Via dal mio territorio!», urlai.

Erano tre cinghiali, giovani e robusti. Non mi fermai.

«Lasciatelo stare, bastardi!».

I cinghiali indietreggiarono in un primo momento, poi mi misero a fuoco. Solo allora mi accorsi che stavano mangiando le mele cadute.

«Chi sei, zoppo?», chiesero anche loro.

«Sono Archy, e siete sul mio territorio».

Risero. Con un balzo, di sorpresa, riuscii a mordere l'orecchio del più vicino. Il cinghiale gridò e mi trascinò per qualche metro, per poi sbattermi a terra. Gli altri due mi caricarono assieme, ma si spintonarono a vicenda, e riuscii ad evitarli. Il primo tornò a prendermi alle spalle, a farmi male con una testata. A quel punto vidi Anja scendere dalla tana, si teneva il ventre con le zampe.

«Basta! Basta!».

I cinghiali si scossero, la videro arrivare e si fermarono.

«Prendete quello che volete, ma non fategli del male!».

Disse proprio così. Quei cinghiali non erano banditi, o disperati. Erano abbastanza giovani da avere ancora un padre e una madre, e una tana. Il primo di loro, con l'orecchio sanguinante, mi guardò.

«Questa è la tua notte, zoppo», disse.

Mi lasciarono andare, e tornarono a ingozzarsi di mele marce. Anja si chinò su di me, mi aiutò ad alzarmi e tornammo dentro sostenendoci a vicenda. Mi mise a letto. Le ferite erano lievi, eppure non accennavo a muovermi; le lacrime di Anja bagnavano più del sangue.

Se quella notte rimasi vivo lo devo a quella femmina, e a Dio; ancora oggi mi chiedo se forse non si siano sbagliati entrambi.

Il giorno dopo mi svegliai con le parole di Sasha nelle orecchie: *Fra tutti e due, avrete vita breve*. E così iniziai a pensare, torcendomi le zampe, che era proprio vero. Più tardi, quando Anja mi portò da mangiare, le chiesi se i cinghiali avessero scavato. Ignorai il suo muso, e la preoccupazione che aveva addosso.

«No, non hanno scavato».

Tirai un grande sospiro.

«Archy, perché non ce ne andiamo?».

Chiusi gli occhi.

«Troviamo un altro posto, siamo ancora in tempo. Ci portiamo dietro qualche pollo, le verdure».

Fui rapido a scattare.

«Cosa dici, stupida!», gridai. «Dove vuoi andare, tu incinta e io zoppo? Chi ci pensa alla caccia?».

Sobbalzò, come se l'avessi colpita. Il suo muso però si addolcì, si fece pieno d'amore.

«Ci penso io. Se portiamo abbastanza cibo, ce la facciamo senza sforzi».

Lo disse con speranza, e per un attimo ci credetti anche io. Ma lì era sepolto Solomon, e quella collina era il mio posto.

«Non me ne vado», dissi.

Lei fu tentata d'insistere; non lo fece, ma la tristezza le colorò gli occhi.

«Almeno non uscire più, non farti ammazzare».

Annuii, guardando altrove. Il nostro era un amore da stupidi; ci eravamo accoppiati per morire insieme. Anja era stato un desiderio, una spinta per tornare a vivere dopo che Solomon se n'era andato. La guardai con occhi vacui, accendendo i suoi, come avveniva ogni volta.

«Anja, perché mi hai voluto?», le dissi con un filo di voce.

«Perché sei fragile. E delicato. Perché non mi farai mai del male».

Mi strinse la zampa.

«E i tuoi occhi parlano al profondo».

Continuai a guardarla, il suo sorriso si spezzò a metà. Si mise a piangere, mi strinse a sé, e piangemmo insieme.

Rubarono tutto quello che non avevo raccolto; poi arrivò il freddo, e non si fece vedere più nessuno.

XVI
I figli

Anja partorì con la neve. Diede alla luce due maschi e due femmine, che chiamò Tess, Jana e Fedor. L'ultimo, il primogenito, volle lasciarlo alla mia fantasia. Vedere i miei figli mi riempì il cuore e lo trafisse. Si agitavano sul letto con gli occhi chiusi; non avevano peso, sembravano fatti d'aria. Quando li prendevo, rimanevano con la bocca spalancata, avvolti in un cieco stupore, che divertiva tanto Anja.

«Sono tuoi», mi diceva. «Sono i tuoi figli».

Io facevo di sì con il capo, poi mi perdevo a guardarli. Li portavo vicino al naso e sentivo il loro odore fragile. Sembravano spuntati dal nulla, come funghi; piccoli corpi senza pelo che stentavo a riconoscere come miei. Erano vivi e sani, per ora.

«Non gli vuoi bene?».

Anja li adorava, carezzava le loro teste cercando di tanto in tanto il mio sguardo, passando da uno all'altro, con la stessa cura.

«Certo».

Il melo si era coperto di neve, e così anche la terra sotto di lui. Il ruscello si era ghiacciato e per riempire i secchi ora scendevo più in basso, dove l'acqua si muoveva ancora.

Le galline avevano smesso di fare uova, alcune si erano ammalate. Le verdure tenute da parte finivano in fretta. Sentivo che Dio mi dannava. Rendeva inutile ogni mio sforzo, mi destinava alla sofferenza. Alzavo la testa, senza aprir bocca, e mi scagliavo contro di lui. Non chiesi mai perché. Continuava a nevicare, faceva freddo, ed io ero condannato. Quando questa mia sensazione incontrava lo sguardo raggiante di Anja, provavo una forte rabbia, poi una fitta tristezza, perché ero l'unico a conoscere la nostra fine.

Lei aspettava dessi un nome al primogenito. Me lo aveva messo fra le zampe appoggiandosi a me. Lo guardavamo insieme.

«Che nome gli dai, è ancora nessuno», aveva detto.

«Nessuno», feci io, torvo.

Lei mi diede un pizzico sul naso, prese subito il cucciolo, e mi lanciò uno sguardo di rimprovero; ma non riuscì a dirmi nulla, non subito.

«Mi piace», mormorò.

Mi chiusi in un grande silenzio. Passavo le giornate nella stanza di Solomon, rileggendo il suo libro. Ignoravo il freddo che mi mordeva sotto il pelo, e accendevo un lume quando faceva buio. Vivere le sue avventure mi salvava dall'inverno e dal destino. Speravo mi illuminasse di qualcosa, una buona verità che sistemasse tutto. Mi chiedevo cosa avrebbe fatto la volpe nella mia situazione, che cosa avrebbe fatto un uomo, se lo fossi stato. Leggevo di storie più buie della mia, superate con ingegno, con fortuna, con Dio dalla propria parte. Riprendevo a leggere, ma avevo gli occhi bagnati. Le lacrime diventavano gelide. Avevo spostato il letto in cucina, accanto al fuoco. Anja non si muoveva da lì. All'inizio veniva a chiamarmi per mangiare, poi smise. Uscivo dalla stanza nel cuore della notte, portando sempre il libro con me. Mi nutrivo mentre loro dormivano. I piccoli le stavano vicino alla pancia, rannicchiati l'uno accanto all'altro, e lei li teneva a sé al centro del letto. Li guardavo e mi sembravano morti, eppure non avevo un sussulto, né un brivido lungo la schiena.

«Non hai freddo laggiù?».

«No».

«Hai il pelo tutto dritto».

Non le rispondevo.

«Le parole sono calde?».

Quando la vedevo cercarmi con lo sguardo, o con la zampa tesa, il mio cuore fuggiva via lontano; con il corpo invece stavo fermo, vuoto, a non dare niente.

Una sera Anja disse che sarebbe uscita per andare a caccia. Provai a fermarla ma lei non ubbidì, scomparve dietro gli alberi mentre il sole tramontava. Essere madre le dava forza, la riempiva di speranza e determinazione, e io non lo sopportavo. In verità venivo schiacciato dal suo amore e non sapevo difendermi. Anja era da sola, e io mi sentivo piccolo e lontano. Ravvivai il fuoco e tornai nella stanza della volpe. Dopo poco sentii i piccoli piangere, ma continuai a perdermi nelle parole. Non la finivano più. Chiusi il libro e mi alzai dalla sedia, immaginando di picchiarli, di ridurli al silenzio il più in fretta possibile. Questo pensiero mosse ogni mio passo vero la cucina, e continuò ad essere presente anche quando li raggiunsi. Jana era caduta dal letto e piangeva rannicchiata a terra, gli altri la guardavano dal ciglio sporgendosi col muso. Appena mi videro furono rapidi a raggiungere l'altra sponda e zittirsi. Osservai mia figlia tentare di nascondersi sotto il letto, e ripensai a quando era caduto Leroy. La presi e la misi assieme agli altri, come nostra madre aveva fatto con lui. Rimanemmo a fissarci. Mi temevano, non eravamo mai stati soli. Li accarezzai credendo di essere maldestro, ma poi vidi che avevano smesso di tremare.

«Basta piangere», dissi.

Presi il libro dalla stanza di Solomon e tornai da loro, mi sedetti sulla sua sedia. Ci misero un po' ad addormentarsi, continuavano comunque a tenermi d'occhio. Prima di affogarmi nella lettura, prima di abbandonarli al sonno, mi chiesi dove fosse finita la loro mamma, come se io non c'entrassi nulla.

Anja tornò il mattino dopo. Nel suo sguardo scorsi afflizione e orgoglio. Era rientrata con niente, ma almeno aveva tentato; questo bastava a dirmi che era più forte di me. Aveva il pelo arruffato e le zampe rigide per i geloni, ma dentro brillava di una bella luce. Non trovò alcuna consolazione in me, forse nemmeno se l'aspettava. La osservai all'entrata, avvolto nella coperta della volpe.

«Non c'è niente», disse, aveva la voce rotta.

Era un cadavere. Assomigliava a Louise.

Mi venne vicino e si appoggiò al mio petto, e sentii che era calda. Ci stringemmo forte, poi fui io a lasciarla andare. Anja mi trattenne ancora un poco, alzò il muso verso il mio. Era come se guardasse un'ombra.

«Mi dispiace», disse. Andò dai suoi figli, che erano affamati.

Uccisi l'ultima gallina a metà inverno. Le settimane che seguirono le passammo a ricordare una sensazione dimenticata: la fame. Come se fossi tornato al letto di mia madre, quando avremmo mangiato anche i nostri fratelli, il mio stomaco cominciò a sostituirsi alla mente. La morte non mi venne più a disturbare, a farmi intristire con la colpa di aver dannato una famiglia, e la mia famiglia cessò di essere la mia famiglia. I cuccioli adesso imparavano a parlare, chiamavano Anja *mamma*, e a me con nessun nome. Lei li allattava, non cedeva, era uscita di nuovo a caccia, tornando con niente.

Una notte, mentre lei dormiva, presi Nessuno e lo portai fuori con me. È questo che fa la fame. Assottiglia il mondo a un unico bisogno. Non esiste pietà, o amore, o ancora la paura, il dolore, la vergogna; non esiste niente all'infuori di quella spinta, cieca, che è sopravvivere, mangiare. Nevicavano fiocchi sottili e il vento pungeva le ossa. Nessuno si era svegliato. Aveva una macchia sotto l'occhio sinistro, fatta di pelo rado, e il suo sguardo confuso si perdeva nel mio. Quel corpicino fra le mie zampe pesava meno di una zucca, e mi somigliava. Si rannicchiò per il freddo. Cercò di capire dove fosse, scavando nel buio della notte, poi prese ad agitarsi. Io restavo fermo a contemplarlo, senza pensare a niente.

Sentivo solo il vuoto allo stomaco e il gelo dietro le orecchie. Nessuno si mise a piangere; non voleva stare lì, gli facevo paura, era buio.

Lo strinsi per tenerlo fermo, gli affondai le unghie dietro al collo, per fargli scoprire la gola. Il mio respiro era veloce, eppure ero sereno; ogni cosa aveva perso significato, non aveva più peso.

Il verso di Anja mi svegliò. Mi ingobbii, come un ladro colto in flagrante. Lei era lì, all'entrata della tana, con il pelo ritto e gli occhi spalancati. Rimasi fermo dov'ero, con le orecchie dritte. Nessuno piangeva. Anja si lanciò verso di me, mi strappò il cucciolo dalle zampe, se lo strinse al petto. Il suo sguardo era incredulo, ma lucido. Quando lo rivolse a me la vidi ferirsi, piegare il muso in una smorfia, come se l'avessi colpita.

«Ho fame».

Non seppi dirle nient'altro. Adesso sembrava perduta. Era finita in un posto sconosciuto, dove tutto spaventa. Nessuno era ferito al collo, ma con il buio non si vedeva. Anja se ne accorse annusando la zampa con cui gli sorreggeva la testa, e a quel punto tornò in sé. Mi diede la schiena e rientrò, veloce. Il vento gridava, portando quegli istanti lontano insieme alla neve. Il freddo mi pesava sulla schiena, dovevo scaldarmi.

Anja era sul letto assieme ai cuccioli, accanto al fuoco. Li copriva con il corpo, non piangeva nemmeno. Quando mi vide entrare tirò su la testa, e mi lanciò nuovamente i suoi occhi pieni di dolore. Spinse i suoi figli dietro di sé, il respiro le si gonfiò di paura. Eravamo due ombre nella cucina della vecchia volpe. Non mi avvicinai. Rimasi ad osservarla, come faceva lei. Anja si tranquillizzò, la vidi cambiare all'improvviso. Mi cercò con l'amore. Feci un passo in avanti e lei mi mostrò i denti.

«Non ti avvicinare», disse con la voce spezzata

Anja stava lì, davanti a me, decisa a non spostarsi. Non mi stava supplicando. Avrei dovuto morderla, piegarla a terra. Avrei dovuto ucciderla. La verità è che l'unico in quella stanza a temere la morte ero io.

Le andai incontro e lei mi colpì sul muso.

«Vattene! Vai via!».

I cuccioli gridarono «mamma».

Le bloccai le zampe e la strinsi a me, con forza.

«Dobbiamo mangiare», dissi.

Lei mi morse, e io la strinsi ancora di più. Finalmente cessò di respingermi.

«Manca poco a primavera», continuai. «Tornerà il sole, gli uccelli, crescerà la frutta. Ce l'abbiamo quasi fatta».

Aveva gli occhi aperti ma guardava altrove, nemmeno mi ascoltava. Sembrava scomparsa tra le mie zampe.

«È quasi primavera», ripetei. E a quel punto da lei giunse un flebile, impercettibile suono.

«Sì».

La lasciai andare, si sedette sul letto. Erano tornate le lacrime a bagnarle il muso. D'un tratto mi sentii allegro. Aveva capito, non c'era più niente da discutere; stavo per mangiare, e questo mi metteva di buon umore. Mi chinai su di lei e le carezzai la testa.

«Ti insegnerò a leggere le parole», dissi. «Raccontano la storia di un bandito, il più grande che c'è stato».

Mentre lo dicevo un forte brivido mi attraversò la coda, perché ero davvero deciso a farlo. Avrei condiviso il mio tesoro più grande, e la immaginavo felice, dimentica di tutto. Le promettevo qualcosa perché la speranza di sopravvivere mi rendeva euforico. Ero tornato attento, affabile, e credevo mi avrebbe fatto un sorriso.

«Lasciami sola», disse.

Non mi mossi. La fame mi teneva nella stanza, scrutavo i miei figli rannicchiati in fondo al letto. Anja mi puntò gli occhi addosso. Erano vuoti, come i miei.

«Lasciami sola, ti prego».

Questa volta fu lei a carezzarmi il muso, ad abbozzare un'espressione dolce. Annuii e costrinsi le zampe ad alzarmi, proprio per quell'allegria che mi pervadeva, che mi faceva sentire salvo. Mi trascinai fuori dalla cucina. La vidi prendersi la testa fra le zampe, come per nascondersi da qualcosa, o dallo sguardo di qualcuno. Nella mia mente, pensai si nascondesse da Dio. Ma non poteva conoscerlo, e solo adesso posso dire che si stava nascondendo al suo stesso dolore. Per non farsi trovare, perché era troppo forte. Io invece restavo dov'ero, da vero animale. Non mi importava di altro, se non di vivere. Andai nella stanza di Solomon. Guardavo le parole con il cuore calmo, e aspettavo.

Il mattino dopo erano spariti. Erano scappati dalla finestra, giù per la collina innevata, Anja aveva preso con sé le coperte del letto. Ero stato ingannato. La disperazione scosse ogni angolo del mio animo e, con lei, la violenta certezza che sarei morto di fame. Le loro impronte si facevano confuse sotto le fronde degli alberi, non avevano un senso, poi aveva ripreso a nevicare. Sentii la loro mancanza, soffrivo di non poterli più vedere. All'improvviso affiorarono emozioni che non avevo mai conosciuto, o che avevo dimenticato. La fame e la paura mi facevano provare queste cose. Non avendoli uccisi io stesso, ero tornato padre, e non potendo avere Anja la desideravo nuovamente. Se li avessi trovati, quel mio sentimento sarebbe scomparso nel nulla, e di questo sono certo. Mi aggirai per il bosco chiamando i loro nomi, finché non iniziai a tremare. Tornai indietro, la neve aveva cancellato ogni traccia.

Anja aveva salvato i suoi figli da me; preferiva affrontare il freddo e sopravvivere senza una tana, aggrappata alla speranza di tenerli in vita. Mi sembrò giusto, una madre non poteva fare altro. Ci eravamo lasciati come due banditi, ognuno per la sua strada.

Lei stringeva il piccolo Nessuno, e io abbracciavo la mia miseria, e la mia solitudine, perché dal mio petto non giungeva più rumore. La notte prima ci eravamo detti le nostre ultime parole, e non avrei mai più potuto dirgliene altre, come adesso desidero. Avrei preferito non averla mai incontrata, non averla mai fatta soffrire, e illusa.

XVII
Le linci

Sopravvissi all'inverno chiuso nella tana. Sdraiato nel letto, vicino al fuoco, deliravo dalla fame. Vedevo il soffitto aprirsi in una piaga color sangue, e cercavo di azzannarlo aprendo la bocca, allungando il collo. Solomon mi veniva a trovare in sogno. Era arrabbiato, mi rimproverava di non aver distrutto il suo libro. Poi passava Anja a carezzarmi le orecchie, sussurrando che andava tutto bene. Mi svegliavo con il terrore addosso. Nella cucina vuota e avvolta nell'ombra, aspettavo la morte. Ogni volta che chiudevo gli occhi credevo fosse l'ultima. Anche da sveglio continuavo a sognare: vedevo colori e sentivo voci, qualcuna di loro mi chiamava, era Louise. Non rispondevo mai, non volevo farmi trovare. La mia testa era troppo stanca per leggere, le parole si confondevano, e non cavalcavo più l'immaginazione. Lanciai il libro contro il soffitto perché un corvo volava sopra la mia testa; aveva l'occhio della volpe nel becco, e aspettava di strappare i miei. Tutto era confuso, sbiadito, spaventoso. Percorrevo le stanze in cerca di qualcosa che non c'era, frugando negli angoli, mettendomi in bocca ciò che trovavo. Certe volte morire mi appariva un sollievo.

Una notte sentii dei rumori. Erano molto lievi, quasi impercettibili. Uscii e andai al masso di Gioele, sorprendendo una famiglia di topi che si era stabilita lì. Avevano fatto una grossa cucciolata. Si difesero bene; il padre mi morse più volte, prima che gli strappassi via la pancia. La madre a quel punto cercò di scappare, ma le staccai la testa con un morso. Nella lotta non volò una parola.

Li mangiai tutti razionandoli in cinque giorni. Tentai di dormire il più possibile, come un cucciolo, per risparmiare le energie. Non seppi chi ringraziare per quel pasto inaspettato, se Dio o i topi, o ancora il mio udito; forse non dovevo niente a nessuno di loro, perché il primo mi aveva maledetto, i secondi erano stati stupidi, e il terzo aveva fatto il suo dovere. Quando mi svegliai la neve si stava sciogliendo e c'era il sole.

Le carote che avevo piantato dopo lo scambio con Sasha affioravano appena dal terreno. Erano brutte, piccole e storte, ma le raccolsi comunque, e ne piantai delle altre. Era presto per gli ortaggi, ma la collina si riprendeva, e le semine dell'estate scorsa erano presenti e in attesa. Senza famiglia andavo avanti. Non avevo altro scopo se non quello di vivere, e nessun sentimento che potesse serbarmi una qualche gioia. C'ero io, la collina, e Solomon; questo era il mio compito, badare a tutti e tre.

Dal momento in cui avvistai i primi girovaghi, ancora intontiti dal letargo, mi fu chiaro che dovevo proteggere il mio territorio. Passai qualche giorno a pensarci su, poi mi venne una grande idea. Imitando l'uomo, la volta che uccidemmo la compagna di David, costruii l'Ombra di un animale feroce. Usai dei legni e dei sassi, per dargli forma e renderlo pesante, lo coprii delle piume delle galline che trovai nella mia vecchia stanza per la pelliccia, incollandole con la mistura che usava Solomon per le pagine. Creai un'Ombra molto grande, quasi quella di un giovane orso, e la posizionai sopra il masso di Gioele, cosicché potessero vederla tutti. Quando ebbi finito, quasi ne fui spaventato io stesso. Il vento ci passava attraverso e sembrava respirasse.

Seguirono i giorni e cominciò il caldo; gli insetti si svegliarono, gli uccelli ripresero a cantare, nessuno azzardò a mettere zampa dove iniziava a crescere l'erba, e ne fui molto soddisfatto.

Fino all'estate passai la mia esistenza così, a piantare semi, a raccogliere frutta e ortaggi. La sera mi mettevo accanto al melo, sulla sedia della vecchia volpe, guardavo il sole scomparire. La notte ero assalito dal buio e da rimorsi terribili. Il muso magro di Anja mi scrutava, e gli occhi dei figli si univano ai suoi. Sognavo il corpo di Nessuno fra le zampe, leggero come l'aria. Sentivo il verso di lei che mi spaventava, senza riuscire a scuotermi, o a farmi inorridire. La vedevo nascondersi da sé, con le zampe sulla testa, ma non vedevo me. Era come se non ci fossi.

Non provavo colpa, era piuttosto un profondo turbamento. Pensai che forse avrei dovuto scriverlo, lasciare che uscisse dalla mia testa, come Solomon aveva confessato i suoi segreti, e come io avevo scritto di Louise. Ma quando il sole si alzava titubavo. Mi appariva come una sensazione distante, avevo altro da sbrigare. Non volli mai trovare il tempo di rammentarmi che cosa avevo fatto; ci pensavano i sogni ogni notte.

Imparai ad apprezzare la solitudine e trovai la pace con Dio. Mi fu chiaro che il mondo non odia nessuno, e se è crudele, è perché noi siamo crudeli. Dio non aveva commesso altro errore se non quello di averci voluto partecipi, uomini e animali insieme. Mi assolsi, e feci pace con chi mi aveva ferito, perché al di fuori delle nostre teste, ogni dolore non ha peso: perché il male non esiste.

Poi arrivarono loro.

«Zoppo!», chiamarono.

Stavo risalendo con il secchio dell'acqua, in un pomeriggio sereno.

«Zoppo!».

Al limitare degli alberi c'era una lince. Teneva la zampa a mezz'aria, incerta se avanzare o meno. Aveva le orecchie dritte, ben allerta. Gettò lo sguardo all'Ombra sopra il masso, e poi su di me. Mi si drizzò il pelo, e fui preso da un sentimento di paura e meraviglia.

«Vai via!», gridai, poggiando il secchio.

«Vogliamo parlare, zoppo!».

E dietro di lui comparve un'altra lince, ancora più grande, anziana, dallo sguardo terribile.

«Sono con mio padre, che è vecchio e stanco», proseguì. «Vogliamo sapere un paio di cose».

«Io non so niente!», gridai. «Via da qui!».

Le due linci tentennarono. Vidi il vecchio sussurrare al figlio, che tornò a guardarmi.

«Chi c'è sopra quel masso, zoppo?», chiese. «È il tuo padrone?».

L'Ombra si ergeva imponente sopra la mia testa, come un orso addormentato ma pronto a scattare.

«Io non ho padroni», risposi. «E quella bestia fa tutto quello che le dico! Andatevene via!».

Non se ne andarono. Rimasero a fissare l'illusione che avevo creato, immaginando che animale fosse. Non erano molto intelligenti, il più giovane strizzava gli occhi per distinguere meglio. Fu il vecchio a parlare.

«Abbiamo viaggiato tanto, zoppo!», disse con voce roca e spaventosa. «Per scambiare due parole con te!».

Presi un gran respiro, e il coraggio che avevo.

«Siete sordi? Vi ho detto di andarvene!», gridai. «Via da qui, o vi faccio fare a pezzi!».

Le due linci si scossero, traballarono sul posto, poi il più giovane mi diede la schiena.

«Va bene, zoppo», disse il vecchio, continuando a fissarmi. «Ce ne andiamo, ce ne andiamo».

Sparirono fra gli alberi. Rimasi immobile per un po', ad aspettare che ricomparissero. Appena mi passò lo spavento ripresi il secchio e continuai il mio lavoro.

«Zoppo!».

Il mattino dopo erano di nuovo lì, nel solito punto. Il figlio stava davanti e il padre dietro, entrambi spostando lo sguardo da me alla cima del masso, ad intervalli regolari. Stavo raccogliendo l'uva, e mi girai con un sobbalzo, sgranando gli occhi. Il giovane sollevò una gallina con le zampe legate, che sbatté le ali sopra le sue orecchie. Me la fece vedere bene, la esibì anche in direzione della mia illusione.

«Guarda, zoppo! È per te!».

Osservai il pollo senza dire niente. Non mangiavo carne da non so quanto tempo, non ne ricordavo nemmeno il sapore.

«Fa le uova, ci fai fare i pulcini!», proseguì. «Non è un pollaio, quello?».

E indicò il pollaio deserto.

«A chi l'avete rubata?», tuonai.

Le linci rimasero interdette.

«A nessuno... l'abbiamo trovata!».

Erano proprio stupidi. Quelle parole le disse a me e al macigno.

«Tagliamo corto, zoppo!», disse il vecchio, facendomi accapponare la pelle. «Lo vuoi questo pollo o no?».

Una gallina mi sarebbe piaciuta. Avrei allevato pulcini, avrei riempito di nuovo il pollaio.

«Cosa volete?», chiesi.

«Fare due chiacchiere con te, zoppo, come ieri!», rispose il vecchio.

Ci pensai, combattendo il mio timore. Era una brutta situazione, e i miei sensi erano all'erta. Un animale ha ben poco da dire a uno sconosciuto; solitamente ha da ucciderlo, e questo mi era ben chiaro. Ma la riverenza che mostravano verso l'Ombra mi dava coraggio. Mi proteggeva il nulla. Esitai ancora, abbastanza da farli spazientire.

«Allora, zoppo?».

Dissi che andava bene. Solo uno sarebbe potuto salire. Senza una parola, il vecchio prese la gallina dalle zampe del figlio, che sparì fra gli alberi.

«Visto?», disse. «Voglio solo fare due chiacchiere».

E mosse i primi passi incerti sul prato, tenendo d'occhio il macigno. Quando vidi che si avvicinava troppo lo fermai.

«E ora cosa c'è?», gracchiò.

Non volevo si accorgesse di cos'era fatto il mio animale.

Dissi che avremmo parlato fuori, a quella distanza.

«Qui fuori? Sotto il sole?», si lamentò. «Sono vecchio e stanco, non possiamo andare al fresco?».

Ci pensai. Gli dissi di non muoversi, poi mi precipitai nella tana; dalla finestra vidi che obbediva, fissando incerto il masso sopra la mia testa. Avevo il cuore in gola, e mi dicevo che ero uno stupido. Portai fuori il tavolo e una sedia sotto l'ombra del melo, dove già si trovava quella di Solomon. Le posizionai agli estremi, lontane, poi mi allontanai. La vecchia lince si avvicinò, ne occupò una. Era l'animale più spaventoso che avessi mai visto; il pelo coperto di segni e cicatrici, le zampe robuste e con gli artigli usurati, la bocca semiaperta, recisa da un lato, che gli disegnava un ghigno perenne. Gli occhi pallidi erano sempre in movimento, il suo sguardo non conosceva parole, né sentimenti, feriva ogni cosa su cui si posava. Un grande brivido mi fece tremare le orecchie; un'intuizione, dal profondo, mi immobilizzò dal terrore.

«Suvvia», disse con la sua terribile voce. «Non potrei fare male a una mosca, guarda».

E come se niente fosse si strappò via un dente, giallo e malandato, e lo posò sul tavolo.

«Siedi».

Mi sorrise. Con tutto il coraggio che avevo presi posto a tavola.

«Così, bravo. Siamo venuti da molto lontano», esordì. «Ho trascinato mio figlio con me, altrimenti non ce la facevo. Pensa che io sia pazzo, è scemo quanto il legno».

Ogni sua parola era un suono spezzato, una scarica di paura che mi strisciava lungo la schiena.

«Sono vecchio e debole», continuò. «Ma sono certo che questo viaggio sia valso la pena. Non ricordo nemmeno se era inverno, quando siamo partiti...».

Si accorse del mio muso, vide che ero spaventato, sebbene cercassi di nasconderlo.

«Di' un po', zoppo... ce l'hai un nome?», chiese.

Annuii.

«Archy».

Lo dissi con un sussurro. La lince mi sorrise nuovamente, come le riusciva, sembrando ancora più spaventosa.

«Bene, e io sono Gilles», rispose.

Il mio cuore si fermò. Gilles, il terribile bandito al seguito di Solomon, che aveva messo contro di lui i compagni costringendolo alla fuga, mi stava parlando proprio in quel momento, dal suo muso segnato dal tempo.

La descrizione di quell'essere tanto spietato quanto ottuso mi passò davanti agli occhi; ricordai di come la volpe ne avesse paura, fra le righe del suo libro, e citasse la sua spiccata violenza. Era un insieme d'istinti deviati, incapace di amare, divertito dall'arrecare sofferenza al prossimo. Quante volte avevo letto di lui, tra quelle pagine sconnesse, mentre il mio maestro mi chiedeva di omettere il suo nome; quante volte ho pensato a come avrei potuto comportarmi in sua presenza, se il capo della banda fossi stato io. Ora potevo vederlo davanti a me, ancora vivo, spaventoso come lo avevo immaginato, quando sognavo con quelle storie. Gilles si fece più acceso, frenetico, come se avesse capito che sapevo. Mi assottigliai sulla sedia, più silenzioso del mio respiro.

«Sei qui da tanto tempo, Archy? Su questa collina, intendo», disse.

Deglutii, mi feci forza. Il suo muso mi guardava con avidità, pronto a carezzare qualsiasi parola avessi tirato fuori.

«Da un po'».

Mi sorrise ancora.

«Molto bene. Perché vedi, sto cercando un vecchiaccio come me, uno col tempo addosso, un vero merdoso. Lo cerco da tutta una vita».

«E chi è?», feci.

«È una volpe, si chiama Solomon. Ha qualcosa di mio, che mi ha rubato».

Si fece aspro. Capii che il motivo che lo aveva spinto fin lì era lo stesso che la volpe aveva scritto nel suo libro: cercava il suo tesoro, la parola di Dio, l'unico bottino che non avesse condiviso con gli altri. Scriveva che Gilles ne era ossessionato, così come lo era di lui.

Ora scoprivo che non aveva mai smesso di cercarlo. Nei suoi occhi vedevo la brama di cui avevo letto, quella follia mai placata, che lo aveva fatto viaggiare lontano, da chissà dove. Ma non avrebbe ottenuto niente, ancora una volta.

«Mai sentito», dissi, mantenendomi serio.

La lince strinse gli occhi, mi penetrò con lo sguardo. Sapeva che mentivo.

«Eppure mi hanno detto che qui vive una volpe, e che si chiama Solomon. Pensa, sono partito per molto meno. È bastata la storia di un viandante, su un animale con quel nome, uno che faceva scambi».

«Qui nessuno fa scambi», dissi, ma fece finta di non sentirmi.

«Non ci ho pensato due volte», gracchiò. «Ho seguito quella storia, anche se mi muovo a fatica. Ho attraversato valli e montagne alla cieca, ho continuato a chiedere, e sono arrivato qui».

Diede un forte respiro, con la bocca sempre ghignante, per quel suo taglio.

«E sento che è il posto giusto».

A quel punto mi feci coraggio e mi alzai dalla sedia, guardandolo male.

«Non so di chi parli, vecchio, ma mi hai stufato. Qui non c'è niente di quello che vai cercando!», gridai.

Gilles non si scompose. Continuò a sorridermi, trapassando il mio muso imbronciato con gli occhi.

«È qui?», disse. «Lo nascondi?».

«Vattene! Non voglio più parlare con te!».

A quel punto, mentre urlavo quelle parole, una leggera brezza fece dondolare i rami del melo, e trapassò il corpo dell'Ombra che avevo costruito, producendo un forte lamento. La lince abbassò le orecchie.

«Via di qui!», ripetei.

Gilles si alzò dalla sedia con un leggero grugnito. Mi volse un'espressione carica d'odio, eppure euforica e insieme eccitata. Lanciò la gallina sopra il tavolo.

«Il tuo pollo, zoppo», disse, poi fece qualche passo all'indietro, fissando il macigno. Mi diede le spalle, tornando nel bosco.

Avrei voluto mi avesse detto addio, ma non lo fece.

Di certo la mia Ombra funzionava, ed ero sicuro non avrebbero corso il rischio di tendermi un agguato. Però sapevo sarebbero rimasti in circolazione, e questo mi preoccupava. Per il resto della giornata non lavorai, impegnato a riprendermi da quell'incontro incredibile, senza tempo. Per assurdo, durante il nostro dialogo, Gilles aveva avuto tutto quello che cercava proprio sotto le sue zampe. Mi sembrò divertente, a Solomon avrebbe fatto ridere: una vita passata a cercarlo per poi non accorgersi che era sotto il suo naso. Mi chiesi quanto forte bisogna desiderare, per muoversi attraverso un sogno o un ricordo, come ancora faceva la lince. Scoprii che era molto facile; pensai a Gioele, e ad Anja, e a me.

Non so come ci riuscì.

Non era la prima volta che ne aveva il coraggio, e la stupidità; avevo già letto di cos'era capace. Per compiere gesti simili bisogna essere lontani dalla ragione, da ogni istinto, senz'anima. Disgraziati del genere hanno il mondo per nemico e loro stessi per avversario. Non so come gli venne in mente, certi orrori spettano a Dio.

Mi svegliai nel cuore della notte, punto da un forte odore acre. La luce entrava dalla mia finestra, rossastra, e per un attimo credetti che fosse mattina. Poi sentii il rumore, e le grida, e il fruscio costante delle fronde. Mi alzai e andai a vedere. Intorno a me il bosco bruciava; le lingue di fuoco, giganti, illuminavano la collina a giorno, salivano per il prato. Gli alberi dondolavano le chiome in fiamme, urlavano attraverso il legno, si piegavano su loro stessi, come schiacciati, crepitando. La luce si estendeva a perdita d'occhio e in alto il cielo si anneriva, cadevano fiocchi incandescenti, portati dal vento.

Uscii di corsa dalla tana, spezzato dalla tosse. Animali di ogni sorta attraversavano la collina in ogni direzione, scappavano verso un piccolo varco tra le fiamme. A godere di quello scempio, al limitare degli alberi, riconobbi le due linci. Il più giovane era agitato, Gilles era impassibile.

«Brucia, Solomon! Brucia!», gridava. «Vieni fuori!».

Il melo si era acceso in pochissimo tempo. D'estate ogni cosa non aspetta altro. In meno di qualche attimo brillò anche lui, inginocchiandosi al calore.

«Zoppo! Zoppo!», mi urlò. «Dimmi dov'è! Fallo uscire!».

Lo ignorai. I miei occhi gonfi di lacrime e fumo vedevano il fuoco mangiarsi la collina, portandosi via ogni cosa. L'Ombra fu assalita dalle scintille, poi da una fiammella, e come me, se ne accorse anche Gilles. Ululò di gioia, e mi scagliò contro suo figlio.

«Uccidi! Uccidi!».

Mi arrampicai sopra il masso, cercando di spegnere la mia illusione. La giovane lince corse verso di me, saltando tra le fiamme, teneva le orecchie basse, era spaventato, ma ben deciso ad obbedire al padre. Non riuscii a spegnere la pelliccia di piume, quasi rischiai di bruciare la mia. Il giovane fece l'errore di arrivare sotto di me, dove mi aveva visto salire. Mi saltò addosso, allora io spinsi l'Ombra con tutte le mie forze, gettandogliela contro, bruciandomi davvero. Fu travolto da un muro di legni e pietre, e piume infuocate. La valanga lo schiacciò a terra e a quel punto lo sentii urlare. Si dimenava, si contorceva, ma di lui spuntava solo la testa. Quando il suo pelo prese fuoco, le grida si allungarono, spezzandosi in forti versi di dolore. Scesi veloce dal masso. Incurante del figlio morente, con la bava alla bocca, Gilles stava arrivando da me. Sarei dovuto scappare, ma ancora non potevo. Scomparii nella tana.

«Dov'è? Dov'è?».

Gilles era entrato, lo sentivo muoversi nell'ingresso. Il fumo cresceva e dovetti tossire. Scorsi l'ombra ricurva del vecchio raggiungere la stanza della volpe, e nonostante le tenebre, i suoi occhi mi videro fuggire dalla finestra, con il libro di Solomon fra le zampe. Allora si precipitò verso di me con un balzo fulmineo, sorprendendomi.

«Il tesoro!», disse. «Dammelo!».

Le sue pupille avevano lo stesso colore del fuoco, e puntavano solo il libro. Mi afferrò con una zampa mentre scendevo, ferendomi al collo, ma non mi prese.

«Bastardo!», gridò.

Mi buttai giù per la collina, guardando indietro: anche se mi pareva impossibile, sentivo che mi avrebbe inseguito. E così fece.

«Zoppo! Zoppo!», urlò.

Arrivai al ruscello, ci balzai dentro tenendo il libro in alto, scendendo nel senso della corrente.

«Dammi il tesoro, è mio!».

Gilles era vicino. Nonostante fossi bagnato, il calore continuava ad essere atroce, il pelo si ritirava, formicolava. L'acqua rifletteva l'orrore: piovevano schegge infuocate, pezzi di ramo incandescenti; gli alberi si spezzavano e cadevano in un'esplosione di scintille. Se io fuggivo da Gilles, gli altri abitanti del bosco fuggivano dall'incendio, alla cieca, ci passavano intorno, senza una meta. Il tanfo di carne bruciata riempiva ogni cosa.

«Zoppo!», gridava il vecchio, sempre più forte.

Per un attimo pensai di fermarmi, farmi raggiungere e dargli il libro. Forse mi avrebbe risparmiato e avrebbe spento il fuoco, quasi fosse stato un suo capriccio, un dispetto che sarebbe cessato una volta fatto contento.

Poco più in là, il ruscello si gettava in un torrente molto più grande e più basso, oltre il quale le fiamme erano già riuscite ad allungarsi sulle sponde. Mi fermai di colpo. La corrente era forte, e il dirupo impossibile da saltare. Qualche disperato aveva già tentato, ma non era più riemerso. Ripresi a fuggire lungo il ciglio del burrone, accompagnato dal gracchiare sempre uguale della lince. Gli avevo dato un leggero distacco ma continuava a starmi dietro, instancabile, con la lingua di fuori, indenne. Un enorme pioppo si affacciava sul dirupo, fermandosi alla portata di un salto. Era in fiamme ma ci si poteva ancora salire, almeno finché il tronco era salvo. Non mi arrampicavo in verticale da quando ero rimasto zoppo, ma abbandonai qualsiasi timore e mi lanciai sulla corteccia. Cominciai a salire, ignorando il dolore alla zampa; per poco non persi il libro, così lo strinsi in bocca, e continuai a spingermi in alto.

«Vieni qui, bastardo!».

Gilles mi aveva raggiunto, lo sentivo graffiare il legno. Con una zampata mi afferrò la coda, e tirò con forza. Lanciai un grido di dolore, soffocato dal libro.

«Scendi, merdoso!».

A quel punto mi lasciai andare e gli finii dritto sul naso, con il sedere. La lince cedette la presa e scivolò giù di poco; io rimasi aggrappato e ripresi subito a salire.

«Sei morto! Sei morto!».

Arrivai al ramo sospeso sopra il dirupo, il torrente sul fondo ruggiva. Mentre stavo per compiere il salto il ramo si abbassò all'improvviso, dondolando. Fermai la mia corsa a un nulla dal vuoto, dall'acqua che scorreva impetuosa e scura. Gilles c'era ancora. Le fiamme dietro di lui illuminavano il suo sguardo forsennato, il suo muso spaventoso, con quel ghigno perenne disegnato sulla bocca.

«Dammi il tesoro, zoppo schifoso, appartiene a me», ringhiò, avvicinandosi.

Il ramo s'inclinò ancora. Mi tolsi il libro di bocca.

«Fermo!», gli dissi, ma continuò ad avanzare.

«Dammelo».

Il ramo si stava spezzando. Lo sentivo scricchiolare, scendeva sempre di più, e noi dondolavamo.

«Fermati, stupido, moriremo!», urlai.

Gilles si mise a ridere. Si sporse verso di me, allungando la zampa con occhi famelici, divertito dalla mia paura.

«Io non muoio», disse.

Nel tentativo di colpirmi si spinse troppo in là, e il ramo s'incrinò. Nell'istante che precedette lo schianto feci in tempo a leggere i suoi occhi. Dentro ci vidi la sua vita, e lo stupore. Nell'aria si proiettò verso di me, allungandosi verso il suo tesoro, arrivando a sfiorarlo. Poi cademmo nell'acqua nera.

Le rapide mi trascinarono su e giù, stringevo ancora il libro, e questo mi rendeva più difficile stare a galla. Impiegai ogni mia energia per non lasciarlo andare. Non vedevo nulla, e venivo continuamente spinto contro le rocce, poi risucchiato in violente capriole. Bevvi acqua, troppa, il mio respiro s'inquinò, e si gonfiò di morte. Un grosso tronco, che come me lottava tra i flutti, fu la mia salvezza. Mi ci agganciai con una zampa, affondandoci dentro le unghie, ma nel tentativo di risalirci si ribaltò. Tentai di nuovo, stavolta invocando Dio, raccogliendo tutta la mia stupida esistenza in quell'unico sforzo disperato, gridando la mia voglia di vivere. Ce la feci. Mi ancorai saldamente al legno e lo tenni in equilibrio, scendendo per le rapide, finché la corrente non si placò. Vomitai acqua, tossendo forte. Ora era tornata la notte. Mi mossi ancora, cullato dal torrente, finché non toccai una delle sue sponde. Ero salvo, avevo superato le fiamme.

Ringraziai, e caddi addormentato.

XVIII
Klaus

Così finiva la mia storia sulla collina di Solomon. Gilles aveva distrutto il bosco ed era morto annegato, senza aver incontrato la volpe, senza il suo tesoro. Finiva una vicenda durata molto tempo, una vita intera, sotto i miei occhi. Forse era già scritto che dovessi esserci, ma sono sicuro che Dio non va a pensare queste cose, che non si sprechi per le vicende di un animale. Ad ogni modo, vinti o sconfitti, ora erano tutti morti, e le montagne e i fiumi sempre al solito posto.

Per quanto mi riguarda mi aspettava l'ultima parte della mia esistenza.

Mi svegliai dentro una tana, steso in un letto. Dalla finestra entrava la luce del sole, e in lontananza sentivo il rumore dell'acqua. C'era un odore molto forte. Non appena il torpore del sonno mi abbandonò, fui subito all'erta e con gli occhi spalancati. Tentai di alzarmi, ma caddi rovinosamente, stroncato da dolori fortissimi al petto e alle zampe. Avevo il pelo bruciato in molti punti, e tagli, e ferite. Mi aggrappai al comodino per rimettermi in piedi e caddi di nuovo, rovesciandolo. Il mio cuore batteva sul pavimento, veloce, e diceva di scappare. Allora sentii dei passi venirmi incontro, lenti e strascicati; trattenni il fiato e puntai gli occhi sull'entrata. Fece capolino il grosso muso di un istrice. Dopo un lungo attimo si decise a venire da me. Circospetto, si fermò a breve distanza. Era enorme e puzzava. Gli aculei sulla sua schiena vibrarono leggermente seguendo il suo respiro.

«Ti sei svegliato», disse.

Non risposi. Si chinò su di me per raccogliermi, ma esitò all'ultimo.

«Non mi mordi, vero?».

Feci di no con la testa, mi rimise sul letto.

«Sei un dottore?», gli chiesi, con voce roca.

«No», fece lui. «Non credo».

«Dove sono?».

«Nella mia tana. Hai dormito due giorni».

L'istrice si assentò per qualche attimo e tornò con dell'acqua.

«Il bosco è bruciato ed erano tutti in agitazione. Passavo vicino al fiume e ti ho trovato. Pensavo fossi morto».

Mi aiutò a bere, finii tutta la ciotola.

«Vieni da là, vero?», disse. «Dal fuoco».

Lo guardai. Sapeva già quale sarebbe stata la mia risposta, il mio aspetto parlava per me.

«Come è successo?».

«Non lo so».

Aveva due occhi curiosi, calmi ma indagatori. I baffi gli sobbalzavano nervosamente, quando teneva la bocca chiusa.

«Cosa vuoi da me?», gli chiesi secco.

«Non lo so. Niente. Stavi male, e ti ho portato qui».
«Allora sei un dottore».
«No».
Poggiò la ciotola sul comodino.
«Hai una famiglia? Una tana?», domandò.
Anche qui, gli risposi col silenzio. Afferrò subito, cambiò discorso.
«Portavi una cosa con te».
Il libro di Solomon. Misi una zampa sul petto, ma non c'era. Mi maledissi per non averlo protetto.
«Dov'è?», mugolai, in preda all'agitazione.
L'istrice mi osservò, prendendo ogni dettaglio del mio cambio d'umore.
«È di là».
Uscì dalla stanza e tornò con il libro. Me lo porse.
Era malconcio ma ancora intero, umido. Lo aprii, le parole non si erano sbiadite, almeno per la maggior parte. Le pagine non si erano incollate fra loro in maniera irreversibile. Mi venne da piangere. Il libro di Solomon era la sola cosa che mi rimaneva di una vita intera, di ogni ricordo vissuto e sognato. L'istrice continuava a guardarmi.
«Che cos'è?», chiese.
Mi ero dimenticato che ci fosse anche lui. Con quella domanda mi riportò alla stanza, nella sua tana.
«Sono parole», sussurrai.
«Parole?».
«Sì, parole».
Ripresi a singhiozzare. Il mio salvatore comprese che non gli avrei detto molto altro su quell'argo-

mento, almeno per ora. Strinsi il libro a me, tornando a poggiare la testa al letto.

«Come ti chiami?», chiese alla fine.

«Archy».

L'istrice raccolse la ciotola dal comodino.

«Riposati, Archy», disse. «Io sono Klaus».

Klaus era curioso. Quando mi portava da mangiare e da bere, tentava di carpire qualcosa di me, anche il fatto più insignificante. Certe volte rispondevo, altre no; quand'ero io a chiedere invece, non esitava a colmare qualsiasi mio dubbio, con gentilezza.

Non aveva tanto da raccontare, era un individuo molto solo, non aveva figli né una compagna, e forse non ne aveva mai avute. Badava al suo orto e andava a prendere l'acqua al fiume, nient'altro. Parlava volentieri con chi gli capitava di incontrare in giro, anche se erano in pochi ad avvicinarglisi, perché i suoi aculei mettevano paura. Mi fu subito chiaro che la sua solitudine non fosse una scelta, e che ne soffrisse in maniera pacata, nascosta.

Mi rassicurò sulle mie condizioni. Disse che avevo una costola rotta, forse due, ma che mi sarei rimesso. Mangiava solo verdura, e la portava anche a me, ma si accorse quasi subito di certe mie smorfie.

«Prendiamo dei polli», disse una volta.

«E dove?», feci io.

«Non so. Da qualche parte».

«Tu non mangi i polli», risposi.

«Ma tu sì».

Tirai un grande sospiro.

«I polli non ti serviranno, quando mi sarò rimesso», dissi.

E lui non rispose, si fece buio. Annuì come se avessi detto un'ovvietà, poi mi lasciò solo, portandosi dietro il suo odore fortissimo.

Certe notti i ricordi serpeggiavano nel mio sonno, senza che potessi difendermi. In alcune sognavo Anja, mi svegliavo, e passavo lunghi attimi a chiedermi se fosse ancora viva, se ce l'avesse fatta. In altre invece mi appariva Solomon, parlava ma non sentivo alcun suono. Al suo muso poi si sostituiva quello di Gilles, che si allungava col collo e le zampe verso di me, mentre precipitavamo nel vuoto. Aprivo gli occhi con il fiatone, e il respiro che mi faceva male per le costole rotte. Cercavo subito il libro. C'era. Era sempre accanto a me.

Klaus voleva farmene parlare in continuazione, anche se sapeva che non ne avevo piacere. Eppure insisteva.

«Come fanno ad esserci le parole lì dentro, non si sentono», disse.

«Si vedono», gli risposi.

Annuiva meravigliato, quasi più interessato a me che a quello che dicevo. A volte gli bastava semplicemente guardarmi, se intuiva che non avevo voglia di discorsi. Quando iniziava ad infastidirmi lo capiva da solo e usciva.

Non volevo trattarlo male, perché mi aveva salvato, e se continuavo a respirare era grazie a lui.

Un giorno mi caricò su una sedia e mi portò fuori, a prendere un po' d'aria. Abitava sotto un salice, dai rami lunghi e ancora rigogliosi, per essere la fine dell'estate. Tutt'intorno si estendevano campi di erba alta, con qualche albero di tanto in tanto, poi il fiume. C'era un bel sole, e all'ombra faceva fresco. Di fronte a me la macchia dell'incendio e gli scheletri del bosco annerivano le colline. Il mio cuore si fermò con un tonfo sordo, e rimasi immobile a contemplare quell'immagine, stroncato da una grande tristezza.

«Era lì la tua tana?», disse Klaus.

«Sì», risposi.

Guardammo insieme.

«Anche io mi sento così», disse.

Mi girai verso di lui.

«Così come?».

«Desolato. Abbandonato».

Mentre lo diceva continuava a fissare i resti dell'incendio.

«Non conosco l'amore, o la compagnia. Forse li ho trovati e non ho saputo riconoscerli, forse sono stato io a respingerli. Eppure li cerco da quando ho memoria. Non lo trovi strano?».

Lo vidi triste, più di me. Non capivo bene cosa volesse dire il suo sentirsi un bosco bruciato, però conoscevo anch'io la solitudine, vivere per vivere.

«Affatto», risposi. «Tu hai solo paura».

E lui fu pizzicato da quelle parole, e mi guardò intensamente. Le avevo dette perché mi erano saltate in testa, non perché sapessi per certo quello che stavo dicendo. Eppure lui le prese come una grossa verità, quasi gli avesse parlato Dio in persona. Forse Klaus non aspettava altro che qualcuno, chiunque, gli indicasse una via, giusta o sbagliata che fosse. Forse invece aveva davvero paura di scuotersi, dei suoi stessi desideri. Caratteri come il suo non mi piacevano. Erano troppo striminziti, sempre tesi ad aggrapparsi a qualcos'altro. Solomon l'avrebbe ignorato o ucciso, ne ero certo. Rimase in silenzio per qualche attimo, poi provò a farmi delle domande, come al solito. Ma a quel punto ero tornato a quel che restava del bosco, immerso nei ricordi, nel mio *grande prima*. E tacqui.

Tornarono le forze, ero guarito. Era l'inizio dell'autunno. Ringraziai Klaus per tutte le sue cure, poi presi il libro e uscii dalla tana.

«Te ne vuoi andare», disse lui, seguendomi timidamente.

Aveva il muso triste, pieno di parole che non sapeva tirare fuori.

«Sì», risposi.

«Va bene. Non ti trattengo».

Sembrava sul punto di piangere.

«Aspetta», disse.

Si precipitò dentro, facendo dondolare gli aculei. Lo sentii spostare cose, finché tornò con un fagotto.

«Ci ho messo del cibo, ti servirà».

Presi il sacco e me lo misi al collo, lo ringraziai ancora una volta.

«Addio, Archy».

«Addio».

Lasciai che le zampe andassero da sole. Attraversai i campi cambiando spesso direzione, superando piccoli fossi senz'acqua. Osservai che le foreste crescevano lontano, sulle montagne all'orizzonte, e che fin lì gli alberi si mantenevano bassi, sparuti. Mi fermai. C'era una grande pace intorno a me, schiacciava il mio bisogno di andare avanti, e lo rendeva fastidioso, mettendomelo sotto il naso. Mi chiesi dove fossi diretto, e perché. Cominciavo ad essere vecchio, e non avevo posti da raggiungere, né altre cose da sbrigare. Anche la mia curiosità si ritirò dalle montagne all'orizzonte; tornò da me, docile. Mi sedetti e respirai a fondo, guardai il libro. Non potevo rischiare di perdere una cosa così importante, il tesoro. Non aveva bisogno di altre avventure. Mi chiesi per quanto avrei potuto continuare a proteggerlo, a rischiare la vita per tenerlo al sicuro. Pensai all'istrice, alla sua tana, ai suoi modi gentili. Il vento smuoveva l'erba, la faceva frusciare dolcemente e senza fretta. Allo stesso modo carezzava il mio cuore. Avevo una sola cosa da fare, e mi era stata chiara prima di partire.

Il muso di Klaus s'illuminò, quando mi vide davanti alla sua tana.

«Cosa ti è successo?», disse.

«Resto, se posso».

L'istrice mi fece un grande sorriso, e dopo che mi ebbe invitato dentro, lo vidi strapparsi gli aculei dalla gioia. Uno di loro rotolò fino alle mie zampe e lo raccolsi; era duro e affusolato, la miglior penna che si potesse avere. La soppesai un attimo. Si impugnava alla perfezione. Klaus mi guardava incredulo, come se non fossi stato davvero di fronte a lui. Gli misi il libro davanti.

«Vuoi che ti insegni le parole?», gli dissi.
«Decidi tu, Archy».
Aveva parlato senza ascoltarmi.
«No, devi volerlo tu», risposi, duro.
Klaus si scosse, allora guardò il libro. Riconobbi quella sua grande curiosità uscirgli dagli occhi.
«Lo voglio», disse.

XIX
Il resto della mia vita

E così mi fermai qui, da dove scrivo, e la tana dell'istrice diventò anche la mia. Mi occupavo dell'orto, piantavo nuovi ortaggi scambiando i semi, raccoglievo l'acqua dal fiume tutte le mattine. Mi abituai all'odore del mio amico, fin quasi a non sentirlo più. Nei dintorni abitavano altre famiglie, comunque abbastanza lontane, nessuno di loro mangiava altri animali. Non c'erano banditi, e non passavano spesso vagabondi. Chiamavano quei posti a ridosso del fiume *Aquacalma*, e pensai non ci fosse nome più azzeccato. Passò un anno. Scoprii che Klaus non era affatto stupido. Dopo un primo momento d'incertezza mi venne facile insegnargli a leggere e a scrivere. Non parlai mai di Dio, né della morte; decisi di salvare la sua vita dai grandi dilemmi che mi avevano afflitto, di lasciargli un'esistenza da animale. Dio sarebbe stato più contento, perché nella sua ignoranza già faceva quello per cui era stato creato. Leggemmo insieme il libro di Solomon, tranne alcune parti che ebbi l'accortezza di togliere, perché parlavano appunto di cose che non doveva sapere. Klaus si affezionò molto al personaggio del mio vecchio maestro, così come vidi ingigantirsi il suo attaccamento nei miei confronti, una sorta di cieca adorazione. Mi chiese molte volte se quella in realtà non fosse la mia storia sotto falso nome, e io gli rispondevo di no, e ricordavo la volpe. La mia storia era un'altra, e la conoscevo solo io. In certi momenti sentivo crescere il bisogno e l'euforia di raccontarla, di dire tutto, per sempre. Continuavo però a rimandare.

Insegnai a Klaus a creare pagine, a rilegarle tra loro, a bagnarle in una mistura che le rendeva resistenti. Gli feci vedere come ricavare del colore, che durasse nel tempo e che non sbiadisse. Era un ottimo allievo, ed ero sicuro sarebbe migliorato col tempo, con la costanza. Mi seguiva con attenzione, ubbidiva a ogni cosa: se sbagliava non si arrabbiava, e io nemmeno. Conosceva le proprietà delle erbe e dell'aglio, e si era sempre curato da solo. Gli chiesi di scrivere quello che sapeva a riguardo, e alla fine anche lui mi insegnò delle cose.

All'imbrunire portavo fuori la sedia e guardavo il bosco bruciato. Klaus aveva capito che non doveva assillarmi, così andava a farsi un giro dalle parti del fiume.

Un giorno tornò assieme a un gatto. Che mi si parò davanti senza timore.

«Sei tu che disegni le parole?», disse.

M'irrigidii e spalancai gli occhi. Klaus mi osservava orgoglioso.

«No», risposi.

Il gatto si confuse.

«Sì che sei tu», insistette. «Non ci sono altre faine da queste parti. Vivi insieme all'istrice, vero?».

Balzai dalla sedia e gli fui addosso in un attimo, ancora prima che potesse chiudere bocca. Lo morsi a una zampa e lo colpii forte sul muso, due volte. Il gatto urlò di dolore e si diede a una fuga scomposta, scomparendo fra l'erba alta.

«Via di qui!», gli urlai.

Klaus era sbigottito. Avvicinandomi a lui lo vidi farsi piccolo, sebbene fosse il doppio di me.

«Sei stupido?», gli dissi.

«Forse, non lo so. Che ho fatto?».

«Racconti del libro?».

«Sì, l'ho detto a qualcuno».

E lo disse con assoluta sottomissione, con il terrore di scoprire quale sarebbe stata la mia reazione. Alzai una zampa, come per colpirlo, e lui si rannicchiò su se stesso con un lamento sordo, puntandomi contro i suoi aculei, senza volerlo. Non lo colpii.

«Non farlo mai più», dissi.

Non mi dovetti ripetere. Due giorni dopo mi portò una coppia di polli, li aveva barattati con qualche sacco di verdure.

«Scusami», disse. «Fanno le uova».

Io risposi con un grugnito, ma ero molto felice.

Klaus scomparve per un paio di giorni, non fece più ritorno da una passeggiata. All'inizio non mi preoccupai. Sbrigai le mie cose senza di lui addosso, con le sue continue domande, l'odore forte, e questo mi piacque. Passò altro tempo. Cominciai a credere si fosse perso da qualche parte. Prima che mi decidessi a cercarlo si fece vivo. Era felice, quasi intontito, e puzzava di più. Stava bene, così non gli chiesi niente. Ci pensò lui a raccontare, inseguendomi da una stanza all'altra. Aveva incontrato una femmina, lontano, lungo il corso del fiume. L'aveva sorpresa a fare il bagno, lei si era spaventata e aveva rischiato di annegare. Si era gettato per salvarla, e tirandola fuori lei si era stretta attorno a lui, non lasciandolo nemmeno quando erano arrivati a riva. Si erano asciugati così, senza dire niente, perché l'amore ha poco da dirsi.

«È una bella storia», gli dissi. Poi mi incupii, e desiderai stare da solo.

Per tutto il giorno Klaus mi lasciò stare, ma la sera venne a cercarmi, aveva preparato da mangiare. Fu una cena silenziosa. Quando arrivammo alla fine il mio amico mi volse uno sguardo profondo, sempre felice, ma serio.

«Sei il mio maestro, e questo non cambia», disse.

Io avevo in mente le parole di Solomon, che *l'amore è una cosa da stupidi*.

«Amala, portala qui», gli risposi.

Lei si chiamava Elena e puzzava come lui. Non le piacqui da subito, e io d'altronde non facevo nulla per venirle incontro. La trovavo stupida ed elementare. Ero certo che Klaus non le avesse detto della mia presenza prima del suo arrivo, e un po' comprendevo il suo malumore. Lui sperava di legarci assieme, di non dover rinunciare a nessuno dei due. Faceva di tutto per ammansirla, ma non ci fu verso: lei prese a detestarmi. La vera ragione è che non sopportava la nostra complicità. Ci spiava mentre gli insegnavo, e soffriva ai nostri sguardi d'intesa. Non erano poche le volte in cui dovevo nascondere il libro, chiudere la porta della mia stanza, fino ad allontanarla a male parole. Elena detestava vedermi mangiare carne, e girare liberamente per la tana. Avevo il suo sguardo sospettoso addosso, e non servivano a nulla le rassicurazioni che lui le dava.

«Non mi fido», disse una sera.

Prima di addormentarsi parlavano a letto. Li sentii dalla stanza d'ingresso, dove mi ero seduto a guardare fuori dalla finestra.

«È pericoloso».

Klaus balbettava che sì, ero scorbutico, ma che non avrei mai fatto del male a nessuno. Lo diceva con voce stanca, bagnata di sonno, forse stringendola a sé. Li immaginavo così; l'uno accanto all'altro, muso a muso, con gli occhi chiusi. Il mio cuore si addolcì per un attimo. Poi a loro si sostituì Anja, nel letto accanto al fuoco, e cercai subito di pensare ad altro.

«È pericoloso. Ti fa fare cose strane, è una faina».

A notte fonda Elena si era alzata e mi aveva trovato alla finestra. Si era spaventata, e aveva inarcato la schiena facendo tintinnare gli aculei, rischiando di far cadere il lume che teneva nella zampa.

«Cosa fai qui?».

«Non ho sonno», le risposi.

Lei aspettò. Il mio sguardo la oltrepassava, come se non ci fosse.

«Chi sei», chiese. Notai che non mi volgeva odio, ma preoccupazione e paura, completamente votata al suo istinto.

«Sono quello che vedi», feci io.

Non le bastò. La vidi stropicciare il naso in segno di frustrazione, e quando si accorse che avevo il libro fra le zampe, i suoi occhi divennero malevoli.

«Da dove vieni, e quello cos'è», disse.

I suoi ordini non mi toccavano, scivolavano sul mio muso senza entrarmi nelle orecchie. Non era un grande cane nero intento a saltarmi alla gola, né una vecchia volpe pronta a bastonarmi se disobbedivo, e io non ero più un cucciolo da tanto tempo. La mia indifferenza la indispettì. Elena era abituata a Klaus, ad avere terreno dove poggiare la propria forza.

«Vengo da lontano, e questa è una cosa mia».

Risposi così, poi mi girai verso la finestra, lasciandomela alle spalle. Elena rimase in silenzio per un attimo, poi grugnì.

«Qui non c'è niente di tuo», sussurrò, ben attenta a farsi sentire poco. Se ne andò via. Quella fu l'ultima volta in cui si interessò a me, in cui ebbi la possibilità di dissipare le sue paure. I suoi occhi si colorarono d'odio per sempre, e i miei continuarono ad ignorarla. Sebbene non dessi peso alle sue parole, per un istante fui morso da una fortissima certezza, che mi fece irrigidire. Se avesse mai toccato il libro di Solomon l'avrei uccisa. Avrei ucciso anche Klaus, se fosse stato necessario.

Elena diede alla luce tre cuccioli, e da quel momento decise che dovevo andarmene. Divenne sempre più nervosa e arrabbiata con Klaus, che continuava a cercare di tenerci assieme. Il mio amico era molto provato. Sospirava e aveva perso la gioia di raccontarmi le cose. Si scontravano ogni volta che lui veniva nella mia stanza.

«Ora sei padre», gridava lei. «Non può portarti via».

Un giorno, durante uno dei nostri incontri davanti al libro, dissi al mio allievo che poteva smettere quando voleva. Klaus fece un sobbalzo, come se lo avessi punto con una spina, o macchiato di una terribile offesa.

«È giusto per Elena», gli dissi. «E per i tuoi figli».

L'istrice guardò me, poi il libro.

«No, non voglio. Insegnami».

Aveva gli occhi lucidi.

«Insegnami».

Questo mi fece felice.

Elena custodiva i cuccioli nella loro stanza, non li faceva mai uscire. Non voleva che li vedessi, né che li toccassi, lo aveva ribadito molte volte. Li sentivo piangere dietro la porta, con le piccole voci, ogni tanto. Se ne stavano buoni, non erano mai soli, e non si lamentavano per la fame.

«Questa è la tua tana, devi fare qualcosa».

«Perché?».

«È pazzo. È pericoloso. Non te ne rendi conto?».

Ogni notte Elena parlava a Klaus, e lo sfiancava. Nei piccoli silenzi prima di risponderle, percepivo la sua difficoltà ad andarle contro.

«Non ci ha fatto niente».

«Sì, per ora. Non lo conosci, non sai chi è, non sai da dove viene. Eppure ti chiudi in stanza con lui, a fare cose».

«Sì».

Sentivo Elena agitarsi, si muoveva piano nel letto, per non svegliare i figli.

«Quali cose?».

«Cose».

Ora era lei a stare in silenzio. Forse, lo scrutava nel buio con occhi nervosi.

«Hai dei figli, Klaus. E non l'hai ancora capito».

In poco tempo quella porta chiusa cominciò ad agitarmi. Il pianto dei piccoli mi scuoteva, e li cercavo con lo sguardo, invano. Ricordavo i miei figli, e l'inverno, e Anja. Erano pensieri che non se ne andavano, macigni troppo pesanti da spostare. Nei sogni scappavo dalla tana di Solomon, coperta dal fuoco, dentro i piccoli gridavano, Nessuno si affacciava alla finestra e mi guardava. Una mattina dissi a Klaus che ero troppo stanco per insegnargli. Cominciarono giornate malinconiche. Stavo seduto sotto il salice, a guardare il bosco bruciato, lontano. Nella mia testa gli alberi neri si gonfiavano di neve, e la terra si imbiancava. Vedevo arrancare i cuccioli, scendere dalla valle in mezzo alla tormenta, sorpassarmi, chiudersi nella stanza degli istrici. Per rimettermi il cuore a posto avevo bisogno di vedere i figli di Elena.

Entrai nella stanza mentre tutti dormivano. Mi avvicinai al letto, e scoprii tre corpi senza pelo rannicchiati contro la pancia della mamma. Erano brutti e respiravano piano. La mia testa tornò indietro agli occhi di Anja, all'odore fragile dei nostri piccoli. Questi non erano i miei figli. All'improvviso sentii di essere libero dal dolore, e iniziai a piangere.

Elena si svegliò e cacciò un urlo di terrore. Nel cuore della notte vidi l'anima uscirle dalla gola.

Klaus si scosse così violentemente che cadde dal letto con un tonfo pesante. Lei afferrò i cuccioli e si schiacciò in un angolo della stanza, rischiando di inciampare.

«Bastardo! Vai via!», gridava.

Klaus si rialzò nel panico, rovesciando il comodino. Si girò con la schiena inarcata, distendendo gli aculei. Mi riconobbe. Io stavo fermo, con il muso bagnato, a guardare Elena e i suoi figli.

«Archy», disse lui, tornando in sé. Aveva paura. «Ma che fai?».

La stanza era piena di pianto e di grida, ma non mi interessava. Mi girai verso il mio amico.

«Volevo solo vederli», dissi.

Dovetti lasciare la tana. Klaus tentò di difendermi, ma Elena minacciò di andarsene. Non sarebbe più uscita dalla stanza finché io non fossi sparito.

Klaus mi portò a vedere un buco dall'altra parte del salice, un po' più piccolo del suo, e mi stabilii lì. Elena mi voleva ancora più lontano, ma non so come, lui riuscì ad imporsi. Dalla mia nuova tana, si godeva della vista delle colline e del bosco bruciato. Dentro faceva più freddo, ma perlomeno l'aria non aveva un cattivo odore. Lui veniva a trovarmi ogni sera, e io gli ripetevo che non stavo affatto male lì.

«Mi dispiace», diceva, poi gli brillavano gli occhi. «Elena non capisce che sei unico».

Ripresi ad insegnargli a leggere e a scrivere. Sembrava più sereno, anche se immaginavo che venire da me continuasse ad essere un problema per lui. Lo pregai soltanto di non raccontare a nessuno delle nostre serate, e di tacere del libro, ma non ci riuscì.

Klaus rimaneva un animale debole con entrambe le parti. Non aveva il coraggio di scacciarmi come voleva Elena, né il carattere per nasconderle qualcosa, ora che era da solo con lei. Un pomeriggio me la trovai davanti alla tana.

«Tu gli insozzi la testa», mi disse.

«Forse una testa sporca funziona meglio di una testa vuota», risposi.

«Voglio che smetti di vederlo, devi dirglielo».

Non mi mossi. Assaporai la sua espressione, il suo corpo massiccio pronto a ritirarsi ad un mio minimo movimento.

«Può smettere quando vuole, se lo vuole», conclusi.

Rientrai.

«Te ne andrai di qui, zoppo!», la sentii gridare.

«Dio ti fulmini», sussurrai.

I loro cuccioli crebbero e iniziarono a parlare. Non ricordo i loro nomi, forse nemmeno li ho mai chiesti. Si mettevano poco distanti dalla mia tana e giocavano vicini al pollaio, e io uscivo e li mettevo in fuga, perché non mi spaventassero le galline. Elena minacciò di caricarmi un paio di volte.

Per i cuccioli ero il *vecchio zoppo*. Vecchio lo ero diventato davvero. Avevo il pelo sbiadito e il respiro pesante, la vista mi ingannava di tanto in tanto. Persi un dente mentre mangiavo, e la paura mi assalì tutta d'un colpo. La morte, silenziosamente, venne a rubarmi il sonno nella notte, ad avvelenare ogni mio pensiero. Klaus mi vide piangere e si preoccupò molto; chiese ripetutamente quale fosse il motivo, ma non doveva saperlo, così avevo deciso.

«Hai dolore?», diceva.

«No».

«Allora cos'hai?».

«Fatti miei!».

Smisi di riceverlo la sera. Se ci incontravamo nell'orto, lo vedevo cercarmi con lo sguardo, mentre tratteneva chissà quante parole.

Nella mia testa c'era sorpresa. Mi ero comunque illuso di sfuggire al tempo, e adesso provavo quella disperazione che avevo tanto biasimato. Gli sguardi dei miei morti mi sfilavano davanti agli occhi, carichi di meraviglia e dolore, lanciati su di me, ancora vivo, fermo ad osservarli. Rimasi nello sconforto per giorni, tormentato dal *quando*. Ma Dio non rispondeva, e desiderai crepare all'istante.

All'ennesimo tramonto decisi che l'unico compromesso prima di sparire era raccontarmi.

Fabbricai tante pagine, le migliori che avessi mai fatto, e le legai assieme. Chiesi a Klaus uno dei suoi aculei più giovani, corto e appuntito, che seguisse la mia zampa alla perfezione. Fu ben contento di strapparselo dalla schiena, nonostante il dolore. L'impossibilità di aiutarmi lo aveva gettato nello sconforto, e il silenzio in cui mi ero chiuso lo affliggeva.

Il mio comportamento preoccupava anche Elena. Era convinta che tramassi qualcosa.

Cominciai a scrivere la mia storia. Mi interrompevo soltanto per mangiare e dormire, e anche allora scavavo nei ricordi più lontani, restituendo ogni sensazione in parole. Mi scoprivo a piangere, o a digrignare i denti dalla rabbia, a premere più forte sulla carta, o ad accarezzarla, innamorato di Louise o di Anja, sorpreso di quanto avessi vissuto, ancora incerto di come sarebbe andata a finire.

Tengo il libro fra le zampe, pesa più di me. Sono vuoto, sono un guscio di noce, sono disorientato. Sono tornato al mio tempo, in balia della vecchiaia. Spesso mi dispero per dolori che nemmeno avverto, e mi rattristo per cose lontane. Altre volte rido. Il mondo sbiadisce e si ritira al mio passaggio. Mi lascia queste forti sensazioni, e loro s'insinuano nel mio respiro. Ho smesso di mangiare le galline. Entro nel pollaio e le osservo razzolare, ogni tanto ci parlo, come facevo con Sara. In quei momenti torno piccino, ma sono attimi, e mi dico che sono uno sciocco. È metà primavera, gli insetti si agitano fra l'erba e i girini diventano rane. Mi interrompo per guardarmi intorno. Scopro Klaus fissarmi da lontano, a torcersi la lingua, aspettando che gli faccia cenno di raggiungermi. Ma io voglio stare solo. Le sue paure mi distraggono. Più scrivo, più l'ossessione della morte si fa leggera. La sconfiggo ad ogni pagina, specchiandomi nel colore, nelle linee che traccio. Dio porterà la mia anima chissà dove, disperderà il mio corpo nella terra, ma i miei pensieri rimarranno qui, senza età, salvi dai giorni e dalle notti. Questo basta a darmi la pace, come il Paradiso per Solomon. Forse, come aveva scritto lui, davvero sono un uomo anch'io, e sarò salvato. Forse Dio mi ha reso un animale per mettermi alla prova.

Credo a cose che in giovinezza trovavo assurde. Ma tornare un animale mi sconvolge, mi fa disperare. Non voglio scomparire, davvero, non voglio nemmeno pensarci.

XX
I miei stupidi intenti

Klaus è venuto a trovarmi nella notte. Era in un bagno di lacrime. Stavo seduto al tavolo intento a rileggere alcuni passi, mi sono spaventato. Nel buio, ci ho messo qualche attimo a distinguerlo, la vista ha incominciato a farmi brutti scherzi.

«Sei arrabbiato con me?», ha detto.

«No».

Si è asciugato il muso.

«Perché hai smesso di parlarmi? Perché hai smesso di insegnarmi?».

Ho chiuso il libro e mi sono alzato.

«Devo finire una cosa», ho risposto.

Non so quanto tempo è passato da quando ho iniziato a scrivere. L'istrice però aveva tenuto il conto. Mi è venuto addosso, barcollando, e mi ha stretto a sé con forza, fino a farmi male.

«Grazie», mi ha detto. «Grazie».

Mi bagnava tutto il collo, e i suoi aculei dondolavano pericolosamente vicino al mio muso.

«Grazie a te, per avermi salvato», ho mormorato.

Mi ha stretto ancora qualche attimo, poi ha abbandonato la presa. Pareva più calmo.

«Elena se ne sta andando con i cuccioli, qui è pericoloso», ha detto. «Ha visto un'ombra nel pollaio. Non vuole banditi da queste parti, attirati dalle galline».

Un lungo brivido mi è corso lungo la schiena.

«Chi era?», ho chiesto.

«Non lo so. Era buio e lei non l'ha visto bene».

Ha tirato su col naso, trattenendo un grosso singhiozzo.

«Abbiamo litigato perché sono venuto ad avvertirti. È partita senza di me».

«Raggiungili, Klaus», ho detto io.

L'istrice ha girato per un attimo la testa, guardando fuori.

«La riporto indietro. Ci penso io a difendervi tutti quanti».

Klaus sapeva che se si fosse ricongiunto con la sua famiglia non sarebbe più tornato. Ho visto il suo coraggio abbandonarlo in un istante.

«Vieni con noi, ci trasferiamo tre campi più in là. Torneremo a inizio estate», ha detto.

Ho fatto di no con il capo. Non volevo più muovermi, né farli litigare ancora. Ho guardato il mio amico cadere nello sconforto, tendermi inutilmente una zampa.

«Vieni con me, ti prego», si è messo di nuovo a piangere.

«Cosa farai se ti aggrediscono?».

Non gli ho risposto. Me ne stavo fermo davanti a lui, a contemplare il suo muso. Ero stanco, ingobbito, tormentato. Sentivo che non l'avrei rivisto per un po', e ho capito che era il momento di non essere dimenticato. Forse le nostre vite si sono salutate lì, forse lo incontrerò di nuovo. Mi è sembrata l'unica occasione, ed è cresciuta in me una grande paura. Ho raccolto il mio libro dal tavolo e ho preso quello di Solomon, con tutte le pagine, con ogni segreto. Ho osservato quest'ultimo a lungo, incerto di volermene separare. L'ho sovrapposto al mio con grande dolore. Mentre mi avvicinavo a lui, Klaus si era avviato verso l'uscita, così l'ho dovuto fermare. Glieli ho messi sulle zampe.

«Il primo lo conosci», ho detto. «L'altro è la mia storia».

Mi ha guardato sbigottito, ancora sicuro che andassi con lui.

«Tienili sempre con te, sono un tesoro. Ti diranno tante verità, ti faranno male, ma non potranno mai ingannarti su quello che sei, su quello che siamo».

L'istrice allora ha capito, e ha fatto un mugolio strozzato, afferrandomi il pelo.

«Insegnali ai tuoi figli, digli come raccontarli agli altri, come io ho fatto con te».

Klaus ha annuito, ma subito dopo è tornato a chiedermi di andare via insieme. Ho avuto compassione di lui, e ho risposto alla sua ultima stretta chiudendo gli occhi, sentendo che premeva il mio libro sul mio petto, mentre mi bagnava il pelo di pianto.

«Tornerò», ha detto, poi si è girato ed è sparito nella notte, senza voltarsi indietro.

«Addio», ho fatto io; e lo dicevo a lui, a Solomon, e a me stesso.

Non riuscivo più a dormire, ho preso qualche pagina e mi sono messo a scrivere.

Klaus ha nascosto l'ingresso della sua tana perché nessuno gliela occupi. Ha sbarrato le finestre con dei rami, poi le ha coperte di foglie. Davvero pensa di tornare d'estate, come se i banditi scomparissero all'improvviso, assieme alle stagioni. Mi hanno lasciato poche cose nell'orto, il resto se lo sono preso. C'è un grande silenzio, e mi rende inquieto. Accompagna l'alba e il tramonto. Il cielo si agita in una tempesta invisibile e la terra si è indurita, come la schiena di chi sta per ricevere un colpo. Mi sento un ospite indesiderato, sto scivolando via, il mio corpo si ribella ogni volta che lo penso. La notte dico a Dio che sono un uomo, nel caso se lo fosse dimenticato. Passo il tempo a tenere gli occhi aperti, a provare ancora interesse per le cose che ho davanti.

Mi stanno cercando, me ne convinco sempre di più. Li intuisco dietro il vento, sul pelo dell'acqua quando vado al fiume, nelle fronde del salice che mi accarezzano la testa. Il sole non mi scalda e la notte non mi porta sonno. Mi fermo all'improvviso e resto immobile, in attesa di un suono che tradisca i miei inseguitori, più leggero della penna sulla carta. Chi mi cerca sa dove sono, ma si diverte ad aspettare. È la morte, lo so, ma non starò qui a farmi raggiungere. Voglio un motivo per morire. Piango perché non vorrei aver mai scoperto la verità sul mondo.

Tremo d'angoscia ma non di paura. Dare un volto

a chi mi cerca mi rende inquieto, così come il non sapere quanto tempo mi rimane. Ho immaginato Gilles fuori dalla tana, ad attendermi con il suo ghigno perenne, ma è morto. Allora ho visto Gioele, vecchio ma ancora forte, tornare dalle montagne in cui l'ho spedito, a reclamare la mia testa. Forse è il gatto che ho ferito. Qualcuno deve essere ma solo Dio lo sa. Sento che la vita non mi abbandona. Voglio fuggire, scappare lontano e vivere per sempre. Ho preparato le provviste per il viaggio, le pagine per scrivere, ma continuo a rimandare la partenza. Ho liberato le galline ma non se ne sono andate, mi vogliono bene.

«Sciò, sciò!», hanno svolazzato in giro e poi sono tornate da me. La notte si fa sempre più spaventosa, anche il rumore del fiume è una voce sinistra, e mi sento indifeso. È impossibile aspettare con il cuore fermo. La mia stanza si riempie di ombre, mi guardo in giro per non essere colto di sorpresa. L'alba e la luce del sole non mi danno sollievo. Anche loro sono miei nemici. Se capita che io chiuda gli occhi, il mio ultimo pensiero è sempre lo stesso, e mi consola: fuggirò appena sveglio, e chi mi cerca dovrà trovarmi.

Mi ha ucciso. Sono strisciato dentro una volta che se ne è andato, premendomi il fianco per fermare il sangue, per non farlo uscire. Mi ha strappato un orecchio e ferito una zampa, mi ha morso sotto il cuore e si è portato via la carne. Sto morendo. Vado e torno con gli occhi su questa pagina, seduto scomposto. Ora è la mia anima che regge la penna.

C'era Nessuno, mio figlio, ad aspettarmi sotto il salice. Era un giovane cane con le orecchie a punta. Uccideva le galline nel pollaio, sono uscito perché le ho sentite gridare. Era bellissimo, bello come Anja, con la macchia sotto l'occhio, come lo immaginavo. Non sono scappato; ci siamo guardati a lungo, a contemplarci, dopo tanto tempo. Con i suoi occhi mi ha detto del suo odio, mi ha raccontato la sua storia, e quella di sua madre.

Mi è venuto incontro senza correre, illuminato da un sole acceso, come se Dio lo spingesse, come se camminasse con lui, dalla sua parte. Non mi sono mosso, non ho reagito; mi sono fatto perdonare, mi hanno perdonato. Ho osservato il cielo, immenso più del mio dolore, e le fronde dell'albero, piene di foglie gialle. Ho guardato Dio in faccia, e lui ha guardato me, e non mi è sembrato crudele. Solo, era così grande che i miei occhi non riuscivano a contenerlo, e all'improvviso è tornata la paura.

Coloro il pavimento di rosso, sento freddo nel petto, tengo a bada il mio terrore per andare avanti ancora un attimo. Questo è il mio ultimo stupido intento: scappare, come tutti dall'inevitabile. Semmai Klaus tornerà, che dia il mio corpo alla terra, o al fiume. Che mi restituisca agli altri, come un vero animale, perché è questo che io sono, è così che ho il coraggio di sentirmi. Da Otis a Solomon, da Louise ad Anja, se felici in un posto dolce, oppure scomparsi nella notte, il mondo sta per dirlo anche a me. Non posso indugiare oltre, arriva questo ultimo spavento, che si affronta da soli, dall'inizio alla fine.

Indice

I miei stupidi intenti

Questo volume è stato stampato
su carta Palatina
delle Cartiere di Fabriano
nel mese di settembre 2022

Stampa: Officine Grafiche soc. coop., Palermo

Legatura: LE.I.MA. s.r.l., Palermo

Il contesto

1 Buket Uzuner. Ada d'ambra
2 Roberto Bolaño. I detective selvaggi
3 Jaime Bayly. Non dirlo a nessuno
4 Alicia Giménez-Bartlett. Una stanza tutta per gli altri
5 Anna Kazumi Stahl. Fiori di un solo giorno
6 Alicia Giménez-Bartlett. Vita sentimentale di un camionista
7 Mercè Rodoreda. La morte e la primavera
8 Sergio Bianchi. La gamba del Felice
9 François Vallejo. Madame Angeloso
10 Pietro Grossi. Pugni
11 Jaime Bayly. L'uragano ha il tuo nome
12 Francesco Recami. L'errore di Platini
13 Alicia Giménez-Bartlett. Segreta Penelope
14 Roberto Bolaño-A. G. Porta. Consigli di un discepolo di Jim Morrison a un fanatico di Joyce
15 Francesco Recami. Il correttore di bozze
16 Marijane Meaker. Highsmith. Una storia d'amore degli anni Cinquanta
17 Nino Vetri. Le ultime ore dei miei occhiali
18 Pietro Grossi. L'acchito
19 Alicia Giménez-Bartlett. Giorni d'amore e inganno
20 François Vallejo. Il barone e il guardacaccia
21 Francesco Recami. Il superstizioso
22 Maria Attanasio, Giosuè Calaciura, Davide Camarrone, Santo Piazzese, Gaetano Savatteri, Lilia Zaouali. Il sogno e l'approdo. Racconti di stranieri in Sicilia
23 Andrea Camilleri, Ugo Cornia, Laura Pariani, Ermanno Rea, Francesco Recami, Fabio Stassi. Articolo 1. Racconti sul lavoro
24 Francesco Recami. Prenditi cura di me
25 Nino Vetri. Lume Lume
26 Jaime Bayly. La canaglia sentimentale
27 Alicia Giménez-Bartlett. Dove nessuno ti troverà
28 Tayeb Salih. La stagione della migrazione a Nord

29 Alicia Giménez-Bartlett. Exit
30 Sylvain Tesson. Nelle foreste siberiane
31 Martin Suter. Il talento del cuoco
32 Bi Feiyu. I maestri di tuina
33 Fabio Stassi. L'ultimo ballo di Charlot
34 Marco Balzano. Pronti a tutte le partenze
35 Clara Usón. La figlia
36 Furukawa Hideo. Belka
37 Tayeb Salih. Le nozze di al-Zain
38 Maria Attanasio. Il condominio di Via della Notte
39 Giosuè Calaciura. Bambini e altri animali
40 Sheila Heti. La persona ideale, come dovrebbe essere?
41 Alain Claude Sulzer. Il concerto
42 Ella Berthoud, Susan Elderkin. Curarsi con i libri. Rimedi letterari per ogni malanno
43 Kyung-sook Shin. Io ci sarò
44 John Jeremiah Sullivan. Americani
45 Xu Zechen. Correndo attraverso Pechino
46 Fabio Stassi. Come un respiro interrotto
47 Benjamin Alire Sáenz. Tutto inizia e finisce al Kentucky Club
48 Yasmina Khadra. Gli angeli muoiono delle nostre ferite
49 Mia Couto. La confessione della leonessa
50 Iván Repila. Il bambino che rubò il cavallo di Attila
51 Radhika Jha. Confessioni di una vittima dello shopping
52 Bi Feiyu. Le tre sorelle
53 Marco Balzano. L'ultimo arrivato
54 Pietro Leveratto. Con la musica. Note e storie per la vita quotidiana
55 Luisa Adorno, Maria Attanasio, Andrea Camilleri, Luciano Canfora, Francesco M. Cataluccio, Alicia Giménez-Bartlett, Ben Lerner, Marco Malvaldi, Andrea Molesini, Salvatore Silvano Nigro, Laura Pariani, Benjamin Alire Sáenz, Leonardo Sciascia, Fabio Stassi, Sylvain Tesson, Sergio Valzania, Piero Violante. Almanacco 2014-2015
56 Francesco Recami. Piccola enciclopedia delle ossessioni
57 Ben Lerner. Nel mondo a venire
58 Alejandro Zambra. I miei documenti
59 Yasmina Khadra. Cosa aspettano le scimmie a diventare uomini
60 Sylvain Tesson. Abbandonarsi a vivere
61 Mia Couto. L'altro lato del mondo
62 Yasmina Khadra. L'ultima notte del Rais
63 Theodore Zeldin. Ventotto domande per affrontare il futuro. Un nuovo modo per ricordare il passato e immaginare l'avvenire

64 Jung-myung Lee. La guardia, il poeta e l'investigatore
65 Martin Suter. Montecristo
66 Alicia Giménez-Bartlett. Uomini nudi
67 Maria Rosaria Valentini. Magnifica
68 Clara Usón. Valori
69 Gigi Riva. L'ultimo rigore di Faruk. Una storia di calcio e di guerra
70 Alain Claude Sulzer. Post scriptum
71 Jenny Erpenbeck. Voci del verbo andare
72 Sylvain Tesson. Beresina. In sidecar con Napoleone
73 Roberto Alajmo. Carne mia
74 Hanya Yanagihara. Una vita come tante
75 Christophe Boltanski. Il nascondiglio
76 Sergio del Molino. Nell'ora violetta
77 Giosuè Calaciura. Borgo Vecchio
78 Ben Lerner. Odiare la poesia
79 Davide Enia. Appunti per un naufragio
80 Yasmina Khadra. Dio non abita all'Avana
81 Samar Yazbek. Passaggi in Siria
82 Marc Fernandez. Onde confidenziali
83 Ella Berthoud, Susan Elderkin. Crescere con i libri. Rimedi letterari per mantenere i bambini sani, saggi e felici
84 Peter Heine. Delizie d'Oriente. Una storia della cultura gastronomica
85 Maria Rosaria Valentini. Il tempo di Andrea
86 Furukawa Hideo. Tokyo Soundtrack
87 Roberto Alajmo. L'estate del '78
88 Sylvain Tesson. Sentieri neri
89 Chen He. A modo nostro
90 Martin Suter. Creature luminose
91 Alejandro Zambra. Storie di alberi e bonsai
92 Robert Menasse. La capitale
93 Yasmina Khadra. Khalil
94 Simona Baldelli. Vicolo dell'Immaginario
95 Masha Gessen. Il futuro è storia
96 Scott Spencer. Una nave di carta
97 Clara Usón. L'assassino timido
98 Sheila Heti. Maternità
99 Samar Yazbek. Diciannove donne
100 Giorgio Fontana. Prima di noi
101 Ivana Bodrožić. Hotel Tito
102 Philippe Jaenada. Lo strano caso di Henri Girard
103 Sergio del Molino. La Spagna vuota

104 Mazen Maarouf. Barzellette per miliziani
105 David Lopez. Il feudo
106 Pezzi da museo. Ventidue collezioni straordinarie nel racconto di grandi scrittori
107 Maxim Biller. Sei valigie
108 Pajtim Statovci. Le transizioni
109 Ben Lerner. Topeka School
110 John Lanchester. Il muro
111 Sylvain Tesson. La pantera delle nevi
112 Eliane Brum. Le vite che nessuno vede. Appunti dal Brasile che insorge
113 Angelo Carotenuto. Le canaglie
114 Furukawa Hideo. Una lenta nave per la Cina. Murakami RMX
115 Giosuè Calaciura. Io sono Gesù
116 Ingrid Seyman. La piccola conformista
117 Max Porter. Lanny
118 Mia Couto. L'universo in un granello di sabbia
119 Simona Baldelli. Alfonsina e la strada
120 Alejandro Zambra. Poeta cileno
121 Francesco Recami. L'educazione sentimentale di Eugenio Licitra. L'Alfasud
122 Pajtim Statovci. Gli invisibili